OTFRIED PREUSSLER

Der kleine Wassermann

Mit vielen Textzeichnungen von Winnie Gayler

K. THIENEMANNS VERLAG STUTTGART

Ausgezeichnet für Text und Illustration mit dem Sonderpreis im
DEUTSCHEN JUGENDBUCHPREIS

Dieses Buch wurde in folgende Fremdsprachen übersetzt: Afrikaans, Dänisch, Englisch (englische Weltrechte), Finnisch, Holländisch, Italienisch, Japanisch, Litauisch, Rätoromanisch-Ladinisch, Schwedisch, Slowenisch, Slowakisch, Tschechisch.

Gesamtausstattung WINNIE GEBHARDT-GAYLER in Kiel

434. Tausend
23. Auflage 1975 · 1. Auflage 1956 · Satz J. F. Steinkopf in Stuttgart · Text- und Umschlagdruck Offsetdruckerei Gutmann+Co. in Heilbronn/N. · Klischees Klischee-Herzog · Umschlagreproduktion Hirsch und Beck, beide in Stuttgart · Einband Großbuchbinderei Röck in Weinsberg · © 1958 by K. Thienemanns Verlag in Stuttgart · Printed in Germany
ISBN 3 522 10620 2 · Verlagsnummer 1062

Ein richtiger kleiner Wassermann

Als der Wassermann eines Tages nach Hause kam, sagte die Wassermannfrau zu ihm: „Heute mußt du ganz leise sein. Wir haben nämlich einen kleinen Jungen bekommen."

„Was du nicht sagst!" rief der Wassermann voller Freude. „Einen richtigen kleinen Jungen?"

„Ja, einen richtigen kleinen Wassermann", sagte die Frau. „Aber bitte, zieh dir die Stiefel aus und sei leise, wenn du hineingehst. Ich glaube, er schläft noch."

Da zog sich der Wassermann seine gelben Stiefel aus und ging auf den Zehenspitzen ins Haus. Das Haus war aus Schilfhalmen gebaut, es stand tief unten auf dem Grunde des Mühlenweihers. Statt mit Mörtel war es mit Schlamm verputzt; denn es war ja ein Wassermannshaus. Aber sonst war es genauso wie andere Häuser auch, nur viel kleiner. Es hatte eine Küche und eine Speisekammer, eine Wohnstube, eine Schlafstube und einen Flur. Die Fußböden waren sauber mit weißem Sand bestreut, vor den Fenstern hingen lustige grüne Vorhänge, die waren aus Algen und Schlingpflanzen gewebt. Und natürlich waren alle Stuben, der Flur und die Küche und auch die Speisekammer voll Wasser. Wie konnte das anders sein, wenn das Haus auf dem Grunde des Mühlenweihers stand?

Also, der Wassermann schlich auf den Zehenspitzen über den Flur in die Küche. Aus der Küche schlich er in die Wohnstube, aus der Wohnstube schlich er in die Schlafstube. Als er dann leise, leise ans Bett trat, da sah er in einem Binsenkörbchen den kleinen

Wassermannjungen liegen. Der Junge hatte die
Augen geschlossen und schlief. Seine Fäustchen

lagen rechts und links von dem dicken, roten Gesicht auf dem Kopfkissen. Das sah aus, als hielte sich
der kleine Wassermann die Ohren zu.

„Wie gefällt er dir?" fragte die Wassermannfrau. Sie war auch mit hereingekommen und schaute dem Wassermann über die Schulter.

„Ein bißchen klein ist der Junge", sagte der Wassermann. „Aber sonst gefällt er mir eigentlich." Er beugte sich über das Binsenkörbchen und zählte: „Eins, zwei, drei, vier, fünf..."

„Was zählst du denn?" fragte die Wassermannfrau.

„Ach, ich zähle bloß, ob er auch alle Finger hat", sagte der Wassermann leise. „Und sieh nur, die strammen Beinchen! Wenn er größer wird, soll er ein Paar schöne gelbe Stiefel bekommen und einen schilfgrünen Rock und braune Hosen und eine knallrote Zipfelmütze! — Am besten gefallen mir seine Haare. Du weißt ja, ich habe mir immer so einen kleinen Jungen mit grünen Haaren gewünscht!"

„Du, sei vorsichtig!" mahnte die Wassermannfrau. „Was machst du denn jetzt wieder?"

„Laß mich nur", sagte der Wassermann. „Ich muß nachsehen, ob er auch Schwimmhäute zwischen den Fingerchen hat. Das ist wichtig für einen Wassermannjungen." Und der Wassermann wollte dem Jungen das eine Fäustchen öffnen. Aber da wachte der kleine Wassermann auf und rieb sich die Augen.

6

„Du, schau!" rief der Wassermannvater auf einmal ganz laut. „Siehst du das? Siehst du es auch?"

„Also hat er wohl doch Schwimmhäute zwischen den Fingerchen?" lachte die Mutter.

„Das auch, das auch!" rief der Wassermann fröhlich. „Aber jetzt weiß ich sogar, was für Augen er hat! Sie sind grün, sie sind grün, es sind richtige Wassermannsaugen!"

Und der Wassermannvater hob seinen kleinen Wassermann aus dem Binsenkörbchen und hielt ihn hoch über seinen Kopf. Und dann tanzte er mit ihm in der Stube herum, daß die Schilfwände wackelten und der weiße Fußbodensand nur so wirbelte. Dabei sang er in einem fort:

„Wir haben einen kleinen Wassermann! Wir haben einen kleinen Wassermann!"

Da kamen die Fische von allen Seiten herbeigeschwommen und schauten mit ihren Glotzaugen zu den Fenstern herein. Der kleine Wassermann strampelte vergnügt mit Armen und Beinchen. Und jeder, der es sehen wollte, sah auf den ersten Blick, daß er wirklich ein richtiger kleiner Wassermann war.

Donnerwetter, ist das ein Junge!

„Was meinst du?" sagte der Wassermann abends zu seiner Frau. „Es gehört sich wohl, daß wir dem kleinen Jungen zu Ehren ein Fest geben, nicht? Ich werde gleich morgen die ganze Verwandtschaft dazu einladen, damit wir ihn allen zeigen können. Und du wirst kochen und braten, daß wir auch etwas zum Schnabulieren haben. Es ist ja bei uns nicht wie bei armen Leuten."

Gut, der Wassermann ging also am nächsten Tag seine Verwandten einladen, und denen, die weiter

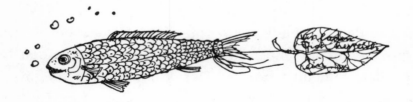

weg wohnten, schickte er Fische als Boten. Die Wassermannfrau blieb zu Hause und kochte und briet. Bis zum späten Abend rührte sie in den Töpfen, schwenkte die Bratpfanne und klapperte mit den

Schüsseln. Zwischendurch gab sie dem kleinen Wassermann seinen Brei.

Siebenundzwanzig Verwandte hatte der Wassermann eingeladen, und sechsundzwanzig von ihnen kamen. Es waren zwölf Wassermänner mit ihren Frauen, ein Brunnenmann und das Brückenweiblein von der Sankt-Nepomuks-Brücke. Der Brunnenmann wohnte im Röhrbrunnen hinter dem Spritzenhaus, er war schon sehr alt und trug einen weißen Bart. Die anderen Wassermänner und ihre Frauen kamen aus dem Dorfteich, aus dem Froschtümpel, aus der Entenpfütze, aus dem Roten und aus dem Schwarzen Flössel, aus dem Forellenwasser, dem Steinbach und noch fünf anderen Bächen.

„Seid uns gegrüßt!" sagte der Vater des kleinen Wassermanns. „Es ist recht, daß ihr euch alle so pünktlich eingefunden habt! Meine Frau und ich sagen allerseits besten Dank, und wir hoffen auch, daß es euch schmecken wird."

„Willst du uns nicht zuerst deinen kleinen Jungen zeigen?" fragte der Wassermann aus dem Steinbach den Vater des kleinen Wassermanns.

„Nein", sprach der Wassermannvater. „Zuerst einmal wollen wir tafeln, die Hauptsache bleibt für zuletzt."

Da mußten sich die zwölf Wassermänner mit ihren Frauen, der Brunnenmann und das Brückenweiblein alle an den langen Tisch setzen, den der Mühlenweiherwassermann vor seinem Haus für sie aufgestellt hatte, denn in der Wohnstube wäre es viel zu eng gewesen für diese große Gesellschaft. Der Brunnenmann mit dem weißen Bart bekam den Ehrenplatz in der Mitte.

Die Mutter des kleinen Wassermanns brachte den Gästen zuerst eine Suppe aus Wasserlinsen, dann ein

Gericht von gebratenen Fischeiern mit gerösteten Algen. Danach tischte sie einen Salat auf, den sie aus eingelegter Brunnenkresse und kleingehackten Dotterblumenstengeln bereitet hatte. Und wer dann noch immer nicht satt war, für den gab es zum Schluß noch eine ganze Schüssel gedünsteten Froschlaich mit eingesalzenen Wasserflöhen. Ja, ja, es war eben nicht wie bei armen Leuten.

„Du, sag einmal", fragte der Wassermann aus dem Roten Flössel beim Nachtisch den Wassermann aus dem Mühlenweiher. „Hast du denn deinen Schwager, den Moormann, nicht eingeladen? Der hätte doch auch mit dazugehört — oder nicht?"

„Ja, was denkst du denn!" sagte der Wassermannvater. „Ich werde doch nicht meinen Schwager, den
Moormann, vergessen! Ich habe ihm meine schnell-
ste Forelle als Botin hinaufgeschickt. Weiß der Hecht,
weshalb er nicht kommt!"

„Er wird sich wohl", meinte der Brunnenmann,
„auf der weiten Reise ein bißchen verspätet haben.
Wie ich ihn kenne, kommt er bestimmt. Das kann er
dir gar nicht antun. Aber wie steht es denn, willst du
uns nun den kleinen Wassermann zeigen?"

„Wenn ihr wirklich schon satt seid", sagte der
Wassermannvater, „dann hole ich ihn."

Aber gerade als er ins Haus gehen wollte, um seinen kleinen Jungen zu holen — was war das? Da
wurde es plötzlich so finster im Mühlenweiher, daß
man nicht einmal mehr die eigene Hand vor den
Augen sah. Und die Wassermannfrauen riefen erschrocken: „Zu Hilfe, was ist denn?"

„Ach, nichts", gab da jemand mit tiefer Stimme
zur Antwort. „Das bin doch nur ich. Guten Tag."

Und wen sahen sie, als sich die Dunkelheit wieder
verlaufen hatte? — Den Moormann! Der hatte, als er
gekommen war, einen tüchtigen Schwapp kaffee-
braunen Moorwassers vor sich hergeschwemmt, das
war alles.

12

„Willkommen bei uns!" rief der Wassermannvater. „Wir dachten schon, daß du ausbleiben würdest. Ich wollte gerade ins Haus gehen und unseren kleinen Jungen herausholen."

„Hole ihn!" sagte der Moormann. „Inzwischen werde ich rasch eine Kleinigkeit essen."

Er langte mit seinen braunen Händen auch gleich in die nächste Schüssel — es war die mit dem Dotterblumenstengel- und Brunnenkressesalat —, und eins, zwei, drei war sie leer. Dann vertilgte er anderthalb Teller gedünsteten Froschlaich mit eingesalzenen Wasserflöhen und tat sich danach an dem Rest von gebratenen Fischeiern gütlich.

„Man muß sich dranhalten", sagte er schmatzend. „Das Reisen macht Appetit."

Und so aß er und aß, bis der Wassermannvater wieder aus dem Hause kam und das Binsenkörbchen mit dem kleinen Jungen getragen brachte. Da ließ der Moormann Teller und Schüsseln stehen, sprang auf und rief so begeistert, daß er sich beinah verschluckt hätte:

„Donnerwetter, ist das ein Junge!"

Und alle Wassermänner mit ihren Frauen, der Brunnenmann und das Brückenweiblein von der Sankt-Nepomuks-Brücke drängten sich auch um das

Binsenkörbchen und riefen das gleiche. Aber nach einer Weile hob dann der Brunnenmann mit dem weißen Bart seine Hand und sagte: „Hört auf mit dem Durcheinandergerufe! Jetzt wollen wir unserem kleinen Wassermann Glück wünschen!"

„Recht so!" stimmten die anderen zu.

Und nun wünschten sie, schön nach der Reihe, dem kleinen Wassermann Glück und Gesundheit und langes Leben und alles, was man als kleiner Wassermann brauchen kann.

Der Moormann aber griff insgeheim in die Tasche und zog seine Flöte hervor. Und zuletzt, als die Reihe an ihm war, da sagte er: „Junge, ein fröhliches Herz sollst du haben!" Dann spitzte er flugs die Lippen und setzte die Flöte an.

Hei, wie der Moormann dem kleinen Wassermann aufspielte! Lustig war das zu hören — und lustig zu sehen! Aus jedem Flötenloch, das er aufdeckte, stieg nämlich immer zugleich mit den Tönen ein dünner bräunlicher Wasserfaden empor. Und weil sich der Moormann beim Spielen verneigte und wiegte und drehte, wehten die Fäden wie eine Schleppe der Flöte nach — und es schien, daß sie tanzten.

Da nahmen sich die dreizehn Wassermänner an den Fäden ein Beispiel und tanzten mit ihren

Wassermannfrauen gleich mit. Und der Brunnenmann mit dem weißen Bart und das Brückenweiblein von der Sankt-Nepomuks-Brücke faßten sich ebenfalls bei den Händen und drehten sich auch mit im Kreise.

Doch plötzlich blieben sie alle stehen, wie angewurzelt, und staunten.

Sie staunten den kleinen Wassermann an.

Der war aus dem Binsenkörbchen herausgekrabbelt und schwamm nun, mit Armen und Beinchen rudernd, wohlgemut um den Moormann herum.

„Ist das möglich?" fragte der Wassermannvater verwundert. „Der Hemdenmatz schwimmt schon?"

„Du siehst es ja", sagte der Brunnenmann leise und strich sich den weißen Bart.

Mehr wußte auch er nicht zu sagen.

Dreh dich, Kleiner!

Schwimmen konnte der kleine Wassermann bald wie ein Großer, er hatte ja zeitig genug damit angefangen. Auch sprechen lernte er rasch. Das alles geht bei den Wassermannkindern viel schneller als bei den Menschen. Es muß wohl am Wasser liegen.

16

Zuerst durfte der kleine Wassermann nur in der Wohnstube herumschwimmen. Später ließen ihn seine Eltern auch auf den Hausflur und in die Küche, da guckte er seiner Mutter in alle Töpfe. Aber am

liebsten schwamm er an eines der Fenster, schob die Vorhänge zurück und schaute hinaus in das grüne Wasser. Manchmal schossen die Fische dicht an den Scheiben vorbei, manchmal kam auch ein Teichmolch vorübergerudert. Und manchmal sah er sogar

seinen Vater oder die Mutter, wie sie gerade davon-
schwammen oder zum Wassermannshause zurück-
kehrten.

Bald aber fand es der kleine Wassermann langweilig, immer nur hinter verschlossenen Fenstern zu stehen, und er fragte seinen Vater: „Warum darf ich
nicht hinaus?"

„Ja, warum?" gab der Wassermannvater zur Antwort. „Weil man im bloßen Hemd eben nicht vor die
Tür darf, das schickt sich nicht. Aber ich werde dir
etwas zum Anziehen besorgen, du bist ja nun groß
genug."

Er brachte dem kleinen Wassermann gleich am
nächsten Morgen ein Paar funkelnagelneue Hosen
von glänzender Fischhaut, dazu einen schilfgrünen
Rock, eine knallrote Zipfelmütze und selbstverständ-
lich auch ein Paar richtige Wassermannsstiefel aus
gelbem Leder. Der kleine Wassermann schlüpfte hinein, die Sachen paßten wie angegossen. Danach rief
der Wassermannvater die Mutter herbei.

„Sieh nur!" empfing er sie, stolz auf den kleinen
Wassermann weisend. „Jetzt haben wir keinen
Hemdenmatz mehr! Wir haben von heute an einen
Jungen, mit dem man sich überall zeigen kann. Wie
gefällt er dir?"

„Ach", sprach die Mutter. „Es hätte wohl noch eine
Weile Zeit gehabt mit den Kleidern, er ist ja erst ein
paar Wochen alt. Aber ich weiß schon, euch Männern
können die Kinder nicht schnell genug groß werden."

„Ja", gab der Wassermannvater zurück, „und ihr
Frauen, ihr möchtet am liebsten, daß euch die Kinder

zeitlebens am Schürzenband hängen! Du weinst doch nicht etwa?"

„Nein, nein!" rief die Wassermannmutter und wischte sich mit dem Handrücken über die Augen. „Das kommt dir gewiß nur so vor." Dann sagte sie: „Irgendwann müssen die Kinder ja groß werden, freilich, da hast du ganz recht. Und der schilfgrüne Rock steht ihm gut zu Gesicht, unserm Jungen."

„Na also", sagte der Wassermannvater, „warum denn nicht gleich so? Ich wußte ja, daß dir der Junge gefallen wird! Dreh dich mal, Kleiner, damit dich die Mutter von allen Seiten bewundern kann!" — Und er faßte den kleinen Wassermann bei den Schultern und drehte ihn.

„Schau dir die Mütze an!" rief er der Mutter zu. „Paßt sie nicht fein zu den grünen Haaren? Und erst die Stiefel! Ich habe sie eigenhändig zusammengeschustert, sie sind aus dem besten und teuersten Leder gemacht, das ich auftreiben konnte!"

„Das sieht man auch", meinte die Mutter. „Die Stiefel sind ganz besonders schön."

„Aber weißt du denn auch, was das Schönste ist?" fragte der kleine Wassermann nun.

„Was das Schönste ist?" überlegte die Wassermannmutter.

20

„Jawohl!" rief der kleine Wassermann strahlend. „Das Schönste ist, daß ich jetzt nicht mehr daheim bleiben muß, daß ich endlich hinaus darf! Ich werde von nun an den ganzen Tag draußen herumschwimmen! — Freust du dich gar nicht darüber?"

Da sagte die Wassermannmutter: „Schon, schon .. Aber nehmt mir's nicht übel, ich glaube, ich muß in die Küche zurück, sonst brennt mir die Suppe an..."

Aber das sagte sie nur, weil sie spürte, daß ihr schon wieder die Tränen kamen, und weil sie den beiden nicht zeigen wollte, wie schwer es ihr wurde den kleinen Wassermann schon aus dem Hause zu lassen.

Kreuz und quer durch den Mühlenweiher

Nachdem sie die Morgensuppe gelöffelt hatten sagte der Wassermannvater feierlich: „So, und nun wollen wir also zum erstenmal miteinander ausschwimmen. Halte die Augen offen, mein Junge, damit du auch recht viel siehst, und damit du der Mutter hinterher alles erzählen kannst. Bist du fertig?"

Der kleine Wassermann nickte.

„Ich kann es schon kaum mehr erwarten!"

„Na, das verstehe ich", meinte der Wassermannvater. „Aber zuvor mußt du noch deiner Mutter auf Wiedersehen sagen."

Der kleine Wassermann sagte der Mutter auf Wiedersehen, und die Mutter ermahnte ihn, immer schön brav an der Seite des Vaters zu bleiben. Den großen Wassermann aber bat sie:

„Tu mir den einen Gefallen, Mann, und vergiß nicht, wie klein unser Junge ist! Denke daran, daß er heute zum erstenmal ausschwimmt!"

Dann schwammen der große Wassermann und der kleine zur Haustür hinaus, und der kleine Wassermann schwamm an der Seite des großen ein paarmal rund um das Wassermannshaus herum. Und weil ja das Haus auf dem Grunde des Mühlenweihers stand, konnten sie auch darüber hinwegschwimmen und von oben in den Schornstein hineingucken.

„Mutter, juhu!" rief der kleine Wassermann durch den Schornstein hinunter. „Hörst du mich? Gleich kommt ein Fisch an dein Küchenfenster geschwommen, gib acht!" Und dann schwamm er selber bis dicht an das Fenster heran, riß seine Augen gewaltig auf, schob die Unterlippe nach vorn, wie die Fische das immer taten, und glotzte die Mutter an, die gerade am Küchentisch stand und Gemüse putzte.

22

Da mußte die Mutter hell auflachen, aber der Wassermannvater tippte dem kleinen Wassermann auf
die Schulter und sagte: „Genug jetzt! Zum Fischspie-
len hast du morgen auch noch Zeit. Ich dächte, wir
sollten uns nun auf den Weg machen!"

Er führte den kleinen Wassermann kreuz und quer
durch den ganzen Weiher. Jedem Fisch, den sie tra-

fen, durfte der kleine Wassermann guten Tag sagen.
Er wollte sich auch die Namen der Fische merken.
Aber es waren ihrer zu viele, er brachte sie bald
durcheinander.

„Das ist mir im Anfang genau so ergangen", sagte der Wassermannvater. „Darüber brauchst du nicht ungeduldig zu werden, das gibt sich in einigen Tagen."

Aber es lebten ja nicht nur die Fische im Weiher! Da waren die Molche, die Schnecken, die Muscheln und Würmer, die Käferlarven und Wasserflöhe und allerhand winzige Dingerchen, die man mit bloßem Auge kaum noch erkennen konnte. – O jemine! dachte der kleine Wassermann, ob ich all ihre Namen jemals behalten werde? Ich kann sie ja nicht einmal zählen! —

An manchen Stellen war der Boden dick verschlammt. Wenn die beiden zu niedrig darüber hinwegstrichen, wirbelten bräunliche Wolken empor und das Wasser verdüsterte sich. An anderen Stellen lag Kies, der schimmerte ihnen von weitem entgegen, und wieder an anderen Stellen wuchs Gras. Das war Teichgras. Es wehte in langen Büscheln über den Boden hin und sah aus wie ein Teppich von lauter Wassermannshaaren.

Am besten gefielen dem kleinen Wassermann aber die Wälder von Nixenkraut und von Teichfäden, Wasserfeder und Tausendblatt, die in der Tiefe des Weihers wucherten.

24

„Wage dich nicht hinein, du bleibst hängen!" konnte der Wassermannvater gerade noch rufen; da sah er auch schon, wie der Junge kopfüber im Dickicht der Stengel und Blättchen verschwand.

„Wirst du hierbleiben!" rief ihm der Vater nach und versuchte, den Ausreißer bei den Füßen zu pakken. Aber der Junge war schneller als er, und der Wassermannvater behielt nur den linken Stiefel von ihm in der Hand.

Es rauschte und plätscherte noch eine Weile im Dickicht, dann wurde es wieder still. Von irgendwoher aus dem Schlingpflanzenwald rief der kleine Wassermann piepsend:

„Wo bin ich?"

Da beschwerte der Wassermannvater den leeren Stiefel mit einem Steine, damit er ihm nicht davonschwimmen konnte, und machte sich wohl oder übel auf, den Jungen zu suchen.

Der Karpfen Cyprinus

Die beiden Wassermänner spielten so lange miteinander im Schlingpflanzendickicht Verstecken, bis der Junge krebsrot im Gesicht war und kaum noch japsen konnte. Da meinte der Wassermannvater: „Jetzt wollen wir wieder aufhören, weil du dich sonst überanstrengst, und weil uns die Mutter dann ausschimpft, wenn wir nach Hause kommen." Aber der kleine Wassermann bettelte: „Nur noch ein einziges Mal!"

„Also gut, dann noch einmal zum Abgewöhnen", sagte der Wassermannvater und fügte hinzu: „Aber ein zweites Mal kriegst du mich nicht mehr herum, dann ist endgültig Feierabend für heute!"

Der kleine Wassermann wollte es diesmal dem Vater besonders schwer machen, ihn zu finden. Er wühlte sich deshalb so tief in die Tausendblattstengel und Wasserfedern hinein, wie er nur konnte. Aber auf einmal bemerkte er voller Entsetzen, daß er gefangen war. Die Schlingpflanzen ließen ihn nicht wieder los!

Er versuchte sich freizustrampeln, aber das half nichts. Im Gegenteil, er verfitzte sich nur noch mehr in den grünen Knäuel! Da wurde dem kleinen Wassermann angst und bange, und flehentlich rief er um Hilfe.

„Ja, zapple nur!" gab ihm der Vater darauf zur Antwort. „Ich denke gar nicht daran, dir herauszuhelfen! Das müßte mir einfallen! Hilf dir gefälligst selber heraus, ich lasse dich einfach stecken!"

Aber das meinte der Wassermannvater nicht ernst. Nie im Leben hätte er seinen kleinen Wassermann stecken lassen! Er dachte sich nur: Mag er ruhig ein Weilchen strampeln, der Lauser, das kann ihm nur gut tun! Da wird er ein andermal wenigstens nicht mehr so vorwitzig sein! Und zuletzt, als er sah, daß der Junge es wirklich nicht selber schaffte, nahm er ihn kurzerhand beim Schlafittchen und ruckte ein paarmal — und schwuppdich! schon war ihm geholfen.

Der kleine Wassermann hatte sich rechtschaffen abgestrampelt, er mußte sich erst einmal hinsetzen. Uff, war er müde! Er stützte den Kopf in die Hände und keuchte. Die Quaste der roten Zipfelmütze baumelte ihm ins Gesicht.

Der Wassermannvater betrachtete ihn eine Zeitlang, wie er so dasaß und nach Atem schnappte. Dann sagte er vorwurfsvoll: „Siehst du, das hast du davon, daß du justament noch nicht aufhören wolltest! Ich hätte mich nie darauf einlassen dürfen! Wie soll ich dich denn jetzt nach Hause bringen? Du kannst dich ja nicht einmal mehr auf den Beinen halten, viel weniger schwimmen!"

„Ach, laß mich nur", sagte der kleine Wassermann mühsam. „Ich muß nur ein Weilchen verschnaufen, dann geht es schon wieder..."

Aber der Wassermannvater glaubte nicht recht daran; wer weiß, wie beschwerlich der Heimweg für ihn und den Jungen geworden wäre, wenn ihnen das Glück nicht den Karpfen Cyprinus zu Hilfe geschickt hätte!

Ahnungslos kam er dahergeschwommen, der Karpfen Cyprinus. Er war schon ein alter Herr, hatte Moos auf dem Rücken und liebte es, während des Schwimmens stillvergnügt vor sich hin zu blubbern. Jedesmal, wenn er blubberte, stieg eine Luftblase aus seinem runden Karpfenmaul auf; dann verdrehte Cyprinus die Augen und schaute ihr nach. Er bemerkte den Wassermann erst, als er fast mit der Nase an seine Schulter gestoßen wäre.

„Nanu!" rief Cyprinus erstaunt und wackelte mit den Flossen. „Was ist denn mit euch los? Mir scheint, da kann jemand nicht weiter..."

„Ach, sieh mal, der Karpfen Cyprinus!" sagte der Wassermannvater. Er zeigte auf seinen Jungen und meinte bekümmert: „Zu müde zum Heimschwimmen. Wenn ich bloß wüßte, wie ich ihn wieder nach Hause bringe!"

Da machte der Karpfen Cyprinus versonnen: „Blubb — blubb", und dann ließ er den Wassermannvater erzählen. Er hörte ihm aufmerksam zu, bis er fertig war.

„Hm", sprach er schließlich, „da bin ich wohl eben zur rechten Zeit dazugekommen, blubb — blubb. Ich werde den kleinen Wassermann auf den Rücken nehmen und heimtragen. Abgemacht? Blubb — blubb."

„Ist das dein Ernst?" rief der Wassermannvater erleichtert. „Das wäre ja herrlich!"

„Na, hör mal, du kennst mich doch", sagte Cyprinus, beinahe ein wenig gekränkt. „Wenn ich sage: ‚Ich werde den Jungen nach Hause tragen', dann tu ich's. Du wirst ja bestimmt nichts dagegen haben."

„Nein, ganz im Gegenteil!" sagte der Wassermannvater. „Du tust mir damit einen Riesengefallen ..."

„Schon gut!" unterbrach ihn Cyprinus. „Man hilft, wo man kann, das ist gar nicht der Rede wert. Sieh lieber zu, daß der Junge sich endlich zurechtsetzt!"

Da mußte der kleine Wassermann aufsitzen, und
der große Wassermann zeigte ihm, wie er sich festhalten sollte. Dann durfte er auf dem Rücken des
Karpfens Cyprinus gemächlich nach Hause reiten.

„Gefällt es dir?" fragte Cyprinus nach einer Weile.

„Ja, sehr!" rief der kleine Wassermann hell begeistert. „Versprichst du mir, daß du mich wieder mal
mitnimmst?"

„Jawohl, das verspreche ich", sagte der Karpfen.

Das Tier mit den vielen Augen

So ein Mühlenweiher ist ja nicht besonders groß, aber als kleiner Wassermann kann man trotzdem eine ganze Menge darin erleben. Vor allem, wenn man so neugierig ist und die Nase in alle Winkel hineinstecken muß, unter jeden Stein und in jedes Schlammloch und überall sonsthin.

Die Wassermannmutter sah es nicht gern, wenn der Vater den kleinen Wassermann ohne Aufsicht im Weiher herumstrolchen ließ. Aber der Wassermann sagte: „Er ist doch ein Junge! Ein Junge muß sich beizeiten daran gewöhnen, daß man nicht immerzu hinter ihm her sein kann. Außerdem habe ich wirklich noch andere Dinge zu tun, als in einem fort unseren Jungen spazierenzuführen.“

Dem kleinen Wassermann war das nur recht. Er streifte am allerliebsten auf eigene Faust durch den Weiher. — Tagtäglich war er von früh bis spät unterwegs. Bald kannte er alle Fische und Schnecken und Muscheln mit Namen. Wenn er dem Karpfen Cyprinus begegnete, durfte er immer auf seinem Rücken ein Stück durch das Wasser reiten. Mit den Elritzen spielte er Fangen, die Frösche zupfte er an den langen

Beinen. Manchmal haschte er sich zum Spaß ein paar Molche, tat sie in seine rote Zipfelmütze und ließ sie darin eine Weile zappeln.

Jeden Tag nahm sich der kleine Wassermann einen anderen Winkel des Weihers vor und durchstöberte ihn, ob nicht irgendwo noch ein Tier oder sonst jemand hauste, den er bisher übersehen hatte. So kam

er dann auch an die Höhle, in der er das Tier mit den vielen Augen entdeckte.

Die Höhle war düster. Er dachte zuerst, daß das Tier mit den vielen Augen ein riesiger bleicher Wurm sei. Dann aber sah er die Flossen auf seinem Rücken, und daran erkannte er, daß es ein Fisch war. Ein

Fisch, der auf beiden Seiten des Körpers in langer Reihe ein kreisrundes Auge hinter dem anderen trug!

„Was schaust du so?" fragte der Fisch mit den vielen Augen den kleinen Wassermann. „Weißt du nicht, daß ich das Neunauge bin? Wie gefalle ich dir?"

„Du bist häßlich! Ich fürchte mich!" wollte der kleine Wassermann antworten, aber das tat er dann doch nicht. Er sagte vielmehr: „Also Neunauge heißt du...?"

„Ich weiß, du beneidest mich", sagte das Neunauge. „Gib es nur ruhig zu."

„Dich beneiden?" fragte der kleine Wassermann sehr verwundert. „Worum denn?"

„Nun ja, um die vielen Augen! Du hast ja nur zwei, wie ich sehe." Das Neunauge schlängelte sich an den Jungen heran. „Nur zwei Augen! Wie wenig!"

„Ich bin mit den beiden zufrieden", erklärte der kleine Wassermann. „Sie genügen mir völlig."

„Wir wollen es hoffen", meinte das Neunauge. — „Aber was ist denn, du willst doch nicht etwa schon wieder davonschwimmen? Bleib doch hier!"

„Nein, ich habe es eilig", sagte der kleine Wassermann rasch und empfahl sich. Nur fort aus der Höhle! Er hatte genug von dem Fisch mit den vielen Augen, er wollte jetzt schleunigst nach Hause.

„Ich würde dir gern ein paar Augen abtreten!" rief ihm das Neunauge hämisch nach. „Bis auf zwei sind sie ohnehin blind! Was nützen mir blinde Augen? Ich möchte sie herschenken, hörst du?! Her-schen-ken möchte ich sie!"

Der kleine Wassermann gab keine Antwort, er hielt sich beim Schwimmen die Ohren zu. Nichts wie nach Hause! Und nichts wie den Fisch mit den vielen Augen vergessen! Er sah ihn in seinen Gedanken noch immer vor sich, und das ekelte ihn.

Er träumte in dieser Nacht, daß der Fisch mit den vielen Augen zu ihm in die Schlafstube kam. Er konnte nicht rufen und konnte kein Glied bewegen. Weil er ganz steif war, so steif wie der Bettpfosten, mußte er alles mit sich geschehen lassen, was ihm der Fisch mit den vielen Augen antat.

Er hörte ihn sagen: „Da hast du ein paar von den blinden Augen, die ich nicht brauchen kann! — Hier eins hin — da eins hin — dort eins hin . . ."

Und er spürte, wie ihm der schreckliche Fisch seine kreisrunden, häßlichen Augen einsetzte: eins auf die Stirne, und eins auf jede Wange, und eins auf das Kinn.

„Und das nächste? Das nächste kommt auf die Nasenspitze, mein Freundchen! — So, laß dich ansehen! — Fein schaust du aus! Beinahe schon wie ein richtiges Neunauge!"

„Nein!" schrie der kleine Wassermann auf. „Nimm die Augen aus meinem Gesicht! Nimm sie weg, du! Ich kann mich jetzt wieder bewegen, ich kann —"

„Aber Junge, was hast du denn?" fragte der Wassermannvater und beugte sich über die Bettstatt. „Du schreist ja, als würdest du umgebracht! Hat dir denn so etwas Schlimmes geträumt?"

„Etwas Furchtbares!" stöhnte der kleine Wassermann außer sich. „Etwas Schreckliches war es! Ein Neunauge sollte ich werden!"

„Ein Neunauge?" meinte der Wassermannvater und ließ sich die ganze Geschichte erzählen. Dann strich er dem kleinen Wassermann über das Haar.

„Weißt du was?" schlug er vor. „Ich denke, du solltest den Rest der Nacht mit in meinem Bett schlafen. Aber der Mutter erzählen wir lieber nichts von dem Fisch mit den vielen Augen, und daß du so schrecklich geträumt hast. Sonst sagt sie mir wieder, du seist eben doch noch zu klein, um allein durch den Weiher zu strolchen."

Schwimmhäute haben sie auch nicht!

Die Tage kamen, die Tage gingen. Jeden Tag schien die Sonne ein Weilchen länger über dem Mühlenweiher, und jeden Tag wurde der kleine Wassermann ein bißchen älter.

Eines Morgens sagte der Wassermannvater zu ihm: „Komm mit, mein Junge, wir wollen ans Ufer schwimmen. Es wird Zeit, daß du deine Nase einmal hinaussteckst!"

Da schwammen sie also ans Ufer, und der kleine Wassermann steckte zum ersten Male in seinem Leben den Kopf aus dem Wasser. Gleich aber zog er ihn wieder zurück.

„Warum tust du das?" fragte der Wassermannvater.

Der kleine Wassermann rieb sich die Augen.

„Es blendet mich", sagte er. „Ist es dort oben immer so hell?"

„Wenn die Sonne scheint, ist es dort oben immer so hell", gab ihm der Wassermannvater zur Antwort. „Aber du wirst dich daran gewöhnen. Du mußt nur die Augen zukneifen, wenn du auftauchst, dann geht es. Oder, noch besser, halte die Hände vor — so..." Und er zeigte dem kleinen Wassermann, wie er die Hände vor das Gesicht halten sollte.

Sie tauchten zum zweitenmal auf.

Vorsichtig blinzelte der kleine Wassermann durch die Schwimmhäute zwischen den Fingern hindurch.

Er kannte ja nur das warme, goldgrüne Dämmerdunkel des Mühlenweihers, das volle Sonnenlicht schmerzte ihn. Aber langsam, ganz langsam gewöhnten sich seine Augen daran, und er schaute sich neugierig um. „Sieh nur, die lustigen Fischlein dort!" rief er als erstes.

„Das sind keine Fischlein", sagte der Wassermannvater, „das sind zwei Libellen."

„Aber sie schwimmen doch!" meinte der kleine
Wassermann.

„Nein", sprach der Wassermannvater, „sie fliegen.
Das ist etwas anderes. Manches ist anders hier oben."

„Vor allem das Wasser ist anders", sagte der kleine Wassermann naseweis. „Merkst du nicht auch, daß es anders ist? Heller und wärmer und dünner..."

„Das ist doch kein Wasser!" entgegnete lächelnd der Vater.

„Was dann?" rief der Junge verdutzt.

„Das ist Luft", sprach der Vater.

„Luft?" wiederholte der Junge. „Was ist das?"

„Etwas, worin man nicht schwimmen kann", sagte der Wassermannvater.

Er bahnte dem kleinen Wassermann einen Weg durch das Schilf, das am Ufer stand, und der kleine Wassermann folgte ihm.

Als sie das Schilf hinter sich hatten, machte der kleine Wassermann große Augen. Da sah er zum erstenmal eine Wiese, zum erstenmal Blumen, zum erstenmal einen Baum. Und er spürte zum erstenmal, wie es ist, wenn der Wind weht und einem das Haar zerzaust.

Alles war anders hier oben, als unten bei ihnen im Teich. Alles war neu und verwunderlich, was er da sah. Er fragte den Vater danach, und der Vater erklärte ihm alles, so gut er es wußte.

Dann plötzlich streckte der kleine Wassermann seine Hand aus.

„Ein Wassermann!" rief er erfreut. „Aber was für ein großer!"

„Wo?" fragte der Wassermannvater und kniff die Augen zusammen, um besser sehen zu können.

„Dort drüben", sagte der Junge. Er zeigte auf eine Gestalt, die gerade über den Hügel kam. „Siehst du ihn?"

„Ja", sprach der Vater, „ich sehe ihn. Aber ein Wassermann ist das nicht."

„Es sind mehrere!" sagte der Junge. „Es muß eine ganze Familie sein! Sie kommen in einer Reihe den Hügel herunter. Ich werde sie rufen..."

„Nein, laß das!" wies ihn der Wassermannvater zurecht. „Es sind Menschen, sie brauchen uns nicht zu entdecken. Wir wollen ins Schilf kriechen!"

Da verkrochen sich beide im Schilf.

Die Menschen, ein Mann, eine Frau und zwei Kinder, gingen ganz nahe an ihnen vorüber und sahen weder den großen Wassermann, noch den kleinen.

Aber die beiden Wassermänner sahen die Menschen dafür um so besser aus ihrem Versteck. Und der kleine Wassermann wunderte sich, weil die Menschen so groß waren und keine grünen Haare hatten.

„Schwimmhäute haben sie auch nicht", sagte der Wassermannvater mit leiser Stimme. „Manche von ihnen können zwar schwimmen, aber sie schwimmen sehr langsam. Und wenn sie ins Wasser springen, dann müssen sie gleich wieder auftauchen."

„Sonderbar", meinte der kleine Wassermann nachdenklich. „Warum müssen sie das?"

„Weil es eben bloß Menschen sind", sagte der Wassermannvater. „Sie können im Wasser nicht leben."

Da taten die Menschen dem kleinen Wassermann leid, und er dachte: Wie gut ist es, daß ich ein Wassermann bin!

Die grünen Häuschen

Von nun an durfte der kleine Wassermann immer mit, wenn sein Vater an Land ging. Und als er sich oben ein wenig auskannte, ließ ihn der Wassermannvater auch manchmal allein hinauf.

„Aber nicht allzuweit weglaufen!" hatten die Eltern dem kleinen Wassermann eingeschärft. Und vor allem sollte er sich vor den Menschen in acht nehmen, daß sie ihn ja nicht entdeckten. Das hatte er seinen Eltern versprechen müssen.

Am Ufer des Mühlenweihers stand eine alte Weide. Sie neigte sich über den Teich, ihre untersten Zweige berührten beinahe das Wasser.

Weil sie so schief stand, war es nicht schwer für den kleinen Wassermann, auf die alte Weide hinaufzuklettern. Er dachte: Ich habe dort oben ein gutes Versteck. Wenn ich in den Zweigen sitze, dann kann ich auf der einen Seite zur Mühle hinüberschauen, und auf der anderen Seite, da sehe ich bis zu den Dächern des Menschendorfes. Aber mich selber sieht niemand, wenn ich dort oben sitze. Und sollte mich doch einmal jemand erblicken — was tut das? Ich lasse mich einfach ins Wasser plumpsen, und fertig!

Der kleine Wassermann kletterte oft auf die alte Weide. Er setzte sich rittlings auf einen Zweig, ließ die Beine hinunterbaumeln und freute sich, wenn der Wind kam und ihn schaukelte. Und kam der Wind einmal nicht, dann war er auch nicht traurig darüber, dann schaukelte er eben selber.

Nie wurde dem kleinen Wassermann die Zeit lang, wenn er in seinem Versteck auf der alten Weide saß und Ausschau hielt. Er sah den Müller und seine Knechte, wie sie die schweren Getreidesäcke zum Mahlhaus schleppten; er sah die Müllersfrau auf dem Hof ihre Hühner und Tauben füttern; er schaute den

beiden Mägden zu, wenn sie Wäsche schweiften oder das große hölzerne Butterfaß ausbrühten.

Drüben auf der Landstraße zogen Handwerksburschen und Marktweiber ihres Weges. Jeden Morgen liefen die Schulkinder in das Dorf, und bald nach dem Mittagläuten sah er sie wieder zurückkommen. Manchmal rumpelte auch ein Bauernwagen die Straße entlang. Dann hörte er schon von weitem das Poltern der Räder. Wenn der Fuhrmann recht laut mit der Peitsche knallte, dann schnalzte der kleine Wassermann mit der Zunge und dachte: Das möchte ich auch mal versuchen!

Ja, auf der Landstraße drüben, da gab's für den kleinen Wassermann immer etwas zu sehen. Aber wie riß er die Augen auf, als eines Tages die grünen Häuschen gefahren kamen!

Es kamen drei Häuschen gefahren, mit richtigen Fenstern und Türen. Die Häuschen waren grün angestrichen und fuhren auf Rädern. Vor jedem der grünen Häuschen trottete ein kleines, struppiges Pferd, und hinter dem letzten Häuschen tappte ein großer, zottiger Hund. Er trug einen Ring durch die Nase und war an das Häuschen angekettet.

Drei Menschenmänner mit breiten Schlapphüten lenkten die Pferde. Ein vierter ging neben dem zottigen Hund und gab ihm von Zeit zu Zeit einen Klaps mit dem Stecken.

Der kleine Wassermann wunderte sich, daß es Häuschen auf Rädern gab. Er hätte sie gern aus der Nähe betrachtet. Aber während er noch überlegte, ob er von seiner Weide hinunterspringen und an die Landstraße laufen sollte, bogen die grünen Häuschen in die Wiese ein und kamen zum Mühlenweiher gefahren. Dicht vor der alten Weide hielten sie an.

Trockene Füße!

Die Menschenmänner spannten die Pferde aus und
banden ihnen mit Stricken die Vorderfüße zusammen. Dann ließen sie die Pferde humpeln, wohin sie
wollten. Die Pferde humpelten mit ihren zusammen-
gebundenen Füßen ein Stück in die Wiese und begannen Gras zu fressen.

Inzwischen waren ein paar Frauen und Kinder aus
den grünen Häuschen herausgeklettert. Sie hatten
alle braune Gesichter und braune Schultern und
braune Beine und Arme. Die Frauen trugen glitzernde
Ohrringe, die Kinder hatten zerrissene Hemden an,
und alle, sogar die Männer, hatten langes, kohl-
schwarzes Haar. Sie sahen ganz anders aus als die
Menschen, die der kleine Wassermann bisher immer
gesehen hatte.

Die Frauen holten dürres Schilf herbei und zünde-
ten ein Feuer an. Dann hängten sie einen verbeulten
Kessel über die Flammen und kochten Suppe. Die
Kinder liefen zwischen den grünen Häuschen hin und
her; manche spielten Verstecken, manche balgten

sich herum, alle zusammen machten ein Heiden-
geschrei. Die Männer hockten ein wenig abseits in
der Sonne, rauchten aus kurzen Tabakspfeifen und
erzählten sich Geschichten.

Nach dem Essen holte der eine Mann den großen, zottigen Hund, der hinter dem letzten Häuschen gelaufen war und einen Ring durch die Nase hatte. Der Mann schlug mit den Fingern auf eine kleine Trommel, der große Hund stellte sich auf die Hinterpfoten und tanzte dazu. Es sah sehr drollig aus, wie er da herumtappte und dabei brummte. Wenn er eine Weile getanzt hatte, durfte er sich ausruhen und bekam zum Lohn ein Stück Zucker. Dann mußte er sich von neuem auf die Hinterpfoten stellen und weitertanzen.

Der kleine Wassermann saß auf der alten Weide und wurde nicht müde, den fremden Menschen und ihrem Riesenhund zuzuschauen. Einmal war es ihm zwar, als hörte er seinen Vater nach ihm rufen, aber er achtete nicht darauf. Er gab keine Antwort und blieb sitzen.

Die Sonne stand schon tief unten am Himmel, als die fremden Männer ihre Pferde einfingen und wieder vor die grünen Häuschen spannten. Die Frauen und Kinder stiegen ein, der große Hund mußte an die Kette, und dann fuhren die Häuschen mit Hüh und Hott auf die Straße zurück und rumpelten davon.

Der kleine Wassermann sah ihnen nach, bis sie hinter den Hügeln verschwunden waren. Er merkte auf einmal, daß er sehr matt war.

Als er nach Hause kam, fragte die Wassermannmutter: „Wo hast du so lang gesteckt?" Aber bevor
er noch etwas antworten konnte, schlug sie die
Hände über dem Kopf zusammen und rief entsetzt:
„Wie du aussiehst! Du hast ja ganz trockene Füße!"

Der kleine Wassermann schaute auf seine Füße.
Waren sie wirklich trocken geworden, als er so lange
Zeit auf der alten Weide gesessen hatte, in Sonne und
Wind? Ach, ihm war ja so elend zumute, es drehte
sich alles vor seinen Augen.

„Gleich ziehst du die Stiefel aus!" fuhr ihn die Mutter an. „Weißt du nicht, daß man krank wird, wenn
man sich trockene Füße holt? Warum bist du nicht
rechtzeitig heimgekommen? Marsch jetzt, ins Bett
mit dir! Aber schnell!"

Sie steckte den kleinen Wassermann schleunigst
ins Bett und machte ihm einen nassen Wickel um die
Füße. Dem kleinen Wassermann fielen die Augen zu,
er schlief ein.

Als der Wassermannvater nach Hause kam, sagte
die Wassermannmutter: „Du hättest ihm aber auch
sagen müssen, daß man als Wassermann nicht einen
ganzen Tag an der Luft bleiben darf! Woher soll der
Junge das wissen? Wenn er jetzt krank wird, bist du
daran schuld!"

48

Da rieb sich der Wassermannvater, verlegen das Kinn und meinte: „Ja, ja. Aber warten wir erst einmal ab, ob er wirklich so krank wird, wie du fürchtest. Ein Wassermannjunge, der niemals mit trockenen Füßen nach Hause kommt, ist doch kein Wassermannjunge."

Regen, wo bist du?

Ein paar Tage lang mußte der kleine Wassermann nun zur Strafe zu Hause bleiben, da half ihm kein Bitten und Betteln. Er dachte verdrossen: Wenn ich doch wenigstens richtig krank geworden wäre! Aber ich habe ja nicht einmal einen Schnupfen bekommen. Die Mutter ist viel, viel zu ängstlich mit mir. Wenn es nach ihr ginge, dürfte ich überhaupt nicht mehr fort. Und sehnsüchtig schaute er zu den Fenstern des Wassermannshauses hinaus.

Endlich, nach fast einer Woche, sagte der Wassermannvater: „Ich habe bei deiner Mutter ein gutes Wort für dich eingelegt, Junge. Heut regnet es oben, da will ich dich wieder hinauslassen. Aber versprichst du mir, daß du beizeiten zurückkommst?"

„O ja, das verspreche ich dir!" rief der kleine Wassermann eifrig und schlüpfte sofort in die Stiefel. „Ich will mir auch ganz gewiß keine trockenen Füße mehr holen!"

„Das dürfte dir heute auch schwerfallen", meinte der Wassermannvater. „Heut sorgt schon der Regen dafür, daß du naß bleibst."

„Der Regen? Wer ist denn das?" wollte der kleine Wassermann wissen.

„Ja, siehst du", gab ihm der Wassermannvater zur Antwort, „der Regen, das ist unser bester Freund. Wenn der Regen nicht wäre, dann gäbe es bald keinen einzigen Wassermann mehr auf der Welt."

„Und warum nicht?" Der kleine Wassermann hätte das gern noch erfahren. Aber da hörte er die Mutter kommen und sagte sich: Jetzt aber nichts wie hinaus! Es ist besser, ich mache mich rechtzeitig dünn!

Und das tat er auch. Schwupp! war er draußen und schoß um die Ecke des Wassermannshauses davon.

Hei, war das schön, einmal wieder durchs Wasser zu flitzen! Es kam ihm jetzt vor, als hätte er eine Ewigkeit lang in der Stube gesessen. Aus lauter Freude und Übermut schwamm er gleich einmal quer durch den ganzen Weiher und wieder zurück. Da stoben die Fische erschrocken zur Seite, der Schlamm wirbelte auf, das Teichgras wehte hinter ihm her, und die Muscheln klappten entsetzt ihre Schalen zu.

„So!" rief der kleine Wassermann, als er sich ausgetollt hatte, „und jetzt hinauf!"

Schön langsam, weil er von Atem war, ließ er sich steigen. Das Wasser um ihn wurde wärmer und heller. Augen zu! dachte er, daß mich nicht wieder die Sonne blendet! Aber als er dann oben war und die Augen vorsichtig öffnete, da empfing ihn kein schmerzendes, grelles Licht wie an anderen Tagen.

Die Sonne war nirgends zu sehen, der Himmel war wie mit grauen Tüchern verhangen, und rings um den kleinen Wassermann fielen von irgendwoher aus der Höhe Unmengen winziger Steinchen ins Wasser. Es war, als ob jemand mit vollen Händen Sand auf den Weiher streute. Jedesmal, wenn so ein Steinchen ins Wasser fiel, platschte es. Und das Platschen nahm gar kein Ende, weil es so viele Steinchen waren, die da heruntergeprasselt kamen.

Der kleine Wassermann hielt seine Hände flach empor, er wollte ein paar von den Steinchen auffangen. Aber da merkte er bald, daß es Tropfen waren. Das machte ihm Spaß, denn sie kitzelten ihn. Manchmal traf ihn ein Tropfen sogar auf die Nase, das fand er besonders lustig.

Dann aber fiel ihm auf einmal wieder der Regen ein, von dem ihm der Vater erzählt hatte. Richtig, der Regen! Dem mußte er gleich guten Tag sagen gehen, er war ja ihr bester Freund. Und er dachte, der Regen sei eine Art Wassermann oder so etwas Ähnliches, und er beschloß, ihn zu suchen. Er wird wohl wahrscheinlich am Ufer sein, sagte er sich, und dort irgendwo sitzen.

Wie sehr aber staunte der kleine Wassermann erst einmal, als er an Land stieg! Denn heute war alles, was sonst immer trocken gewesen war, wunderbar naß: das Gras und die Steine, der Weg und die Sträucher, die Blumen, das Feld und die Stauden. Die Blätter der alten Weide trieften vor Nässe, an ihrem Stamm lief das Wasser herunter, die Rinde war dunkel geworden und glänzte.

Der kleine Wassermann atmete tief. Ah, wie die Luft heute schmeckte! Sie schmeckte nach feuchter Erde und fauligem Holz, nach Kräutern und nassem Laub. Und sehr angenehm kühl war sie auch. Ein einziges großes Rauschen erfüllte die ganze Welt. Und der kleine Wassermann dachte: So müßte es immer sein, so gefällt es mir.

Und er dachte auch: Heut hat es keine Gefahr hier, heut werde ich ganz gewiß keine trockenen Füße bekommen. Wo aber steckt nun der Regen?

Der kleine Wassermann sah sich am Ufer um, aber nirgends war jemand zu erblicken, kein Mensch und kein Tier, gar niemand. Da blieb ihm nichts anderes übrig, als unter die triefenden Büsche zu kriechen und Nachschau zu halten, ob sich der Regen nicht am Ende dort irgendwo versteckt hatte. Aber soviel er auch suchte, er fand ihn nicht; nicht unter den Sträuchern und nicht im Schilf. Da beschloß er, den Regen zu rufen.

„He!" rief er laut durch die hohlen Hände. „He, Regen, wo bist du?!"

Er spitzte die Ohren und lauschte auf Antwort. Aber er hörte nur immer das Rauschen ringsum.

Und dann kam ein Plätschern vom Weiher herüber, genauso, als stiege da einer aus dem Wasser. — Das ist er! durchfuhr es den kleinen Wassermann. Das muß er sein! —

Er drehte sich um.

Doch da war er nicht wenig enttäuscht, denn er sah seinen eigenen Vater vor sich, wie er gerade ans Ufer stieg.

„Aber Junge", sagte der Wassermannvater, „was tust du denn da?"

„Was ich tu?" wiederholte der kleine Wassermann traurig. „Ich habe den Regen gesucht, und nun rufe ich ihn. Aber der Regen gibt keine Antwort. Ich glaube fast, er ist fortgegangen."

Da mußte der Wassermann lachen.

„Wen suchst du? Den Regen? Ach, Junge, du stehst doch die ganze Zeit mitten darin! — Ja, das kommt davon", fügte er schmunzelnd hinzu, „das kommt davon, wenn man dem Vater nicht zuhören kann, bis er etwas zu Ende erzählt hat."

Der hölzerne Kasten

Im Sommer kamen fast jeden Tag große und kleine Menschen aus dem Dorf an den Mühlenweiher, um darin zu baden. Dem Karpfen Cyprinus behagte das gar nicht; er fand, sie sollten lieber daheim bleiben. Aber dem kleinen Wassermann machte es Spaß, sich im Ufergebüsch zu verbergen und ihnen beim Baden zuzuschauen.

Schwimmen konnten sie alle miteinander nicht besonders gut, diese Menschen. Die einen schwammen so ähnlich wie Frösche, die anderen gar nur im Hundetrab. Und alle hielten beim Schwimmen den Kopf über Wasser. Es war ein lustiges Bild, wie die vielen roten Menschengesichter prustend und schnaufend auf dem Mühlenweiher herumschwammen.

Aber noch lustiger sahen die schwimmenden Menschen von unten aus! Wenn der kleine Wassermann untertauchte und sich auf den Rücken drehte, dann sah er sie oben als zappelnde Schatten dahingleiten. Deutlich hoben sich ihre Körper gegen die sonnenbeschienene Oberfläche des Weihers ab. Der kleine Wassermann fand es sehr drollig, wie sie die Glieder

verrenkten und dabei doch nur so langsam vom
Fleck kamen.

Als er wieder einmal auf dem Rücken im Schlamm
lag und zu den Menschen hinaufschaute, schob sich
dort oben auf einmal ein plumpes schwarzes Ding
heran, das er noch niemals gesehen hatte. Das Ding
schwamm über ihn hinweg wie ein riesiger Fisch,

aber es hatte keine Flossen und keinen Schwanz. Er konnte sich nicht erklären, wie das Ding es fertigbrachte, sich nicht zu rühren und trotzdem vorwärtszukommen. Er dachte: Das muß ich mir unbedingt einmal ansehen!

Der kleine Wassermann schwamm ans Ufer und tauchte auf. Da sah er, daß dieses seltsame Ding ein langer hölzerner Kasten war, in dem ein Menschenmann saß; und der Menschenmann war der Müller. Er hielt in jeder Hand eine Stange, damit ruderte er den Holzkasten über den Teich.

Da entsann sich der kleine Wassermann, daß er den Kasten schon manchmal gesehen hatte. Richtig, der lag ja sonst immer im Schilf, und er hatte ihn bis auf den heutigen Tag für eine Art Waschtrog gehalten. Jetzt aber wußte er, daß man damit auf dem Wasser herumfahren konnte.

Eigentlich nicht verkehrt! überlegte der kleine Wassermann und gab acht, wie der Müller die beiden Stangen bewegte. Das muß ich mir merken! nahm er sich vor. Denn er wollte, sobald es sich machen ließ, auch eine Fahrt mit dem hölzernen Kasten versuchen.

Am nächsten Tag um die Mittagszeit, als die Menschen alle in ihren Häusern beim Essen waren, schien es dem kleinen Wassermann günstig.

Der Kasten lag an der alten Stelle im Schilf. Er war festgebunden, aber das tat nichts. Der kleine Wassermann konnte zwar den Knoten nicht aufknüpfen, dafür aber zog er kurzerhand den Haltepflock aus dem weichen Boden, klemmte ihn unter den Arm und stieg ein.

Aber wo waren die beiden Stangen, mit denen der Müller gerudert hatte? Er konnte sie nirgends finden. Der Müller hatte sie anscheinend mitgenommen. Das war doch zu dumm! Wie sollte er über den Teich fahren, wenn er die Stangen nicht hatte?

Der kleine Wassermann dachte ein Weilchen nach. Dann nahm er den Haltepflock und versuchte, mit ihm zu rudern. Das ging aber nicht. Er setzte sich nun auf den hinteren Rand des Kastens, tauchte den Pflock in das seichte Wasser und stieß sich mit seiner Hilfe ein paarmal ab.

Schwerfällig schob sich der hölzerne Kasten durch das Schilf, die Halme bogen sich rauschend und knisternd zur Seite. Nach wenigen Stößen erreichte der Kasten das offene Wasser. Aber jetzt wurde der Mühlenweiher tiefer, und bald fand der kleine Wassermann keinen Grund mehr: Der Pflock war zu kurz!

Eine schöne Geschichte! dachte der kleine Wassermann ärgerlich. Was nützt mir der ganze Kasten, wenn ich nicht weiterkomme? Ich werde mir einen längeren Stecken vom Ufer holen!

Schon wollte er kurz entschlossen ins Wasser springen und zurückschwimmen, da bemerkte er, daß der Kasten gar nicht still lag. Ein leichter Wind strich vom Lande her über den Teich und trieb ihn gemächlich weiter.

Das freute den kleinen Wassermann sehr. Er lief an die Spitze des Kastens und beugte sich über den Rand. Ich muß nachsehen, dachte er neugierig, wie sich der Mühlenweiher von oben ausnimmt! Ob ich den alten Cyprinus da unten erspähen kann? Oder das Wassermannshaus?

Aber so aufmerksam er auch hinunterschaute, er sah nur den blauen Himmel, der sich im Wasser widerspiegelte, sah die Spitze des hölzernen Kastens und über der Spitze den Kopf eines Wassermannjungen.

„Bäh!" machte der kleine Wassermann und streckte dem Wassermannjungen im Wasser die Zunge heraus. Er stellte sich vor, wie es wäre, wenn er einen Bruder hätte. Zum Trost dafür, daß er keinen hatte, schnitt er sich selbst Gesichter. Das war ein lustiges Spiel; schon deshalb mußte er bald einmal wieder mit diesem Holzkasten fahren ...

„Heda, du Lausebengel!" erscholl es da plötzlich vom Ufer her. „Mach, daß du augenblicklich zurückkommst! Wer hat dir erlaubt, mit meinem Kahn auf dem Weiher herumzugondeln?"

Der Müller! durchfuhr es den kleinen Wassermann. Jetzt aber nichts wie hinunter!

Er stürzte sich Hals über Kopf in den Teich. Beim Absprung gab er dem Holzkasten einen solchen Schubs, daß das Wasser hineinschwappte. Vor Schreck schwamm er gleich bis zum Grunde des Mühlenweihers und legte sich flach auf den Boden.

Aber nach einer Weile stach ihn doch wieder der Hafer. Er dachte: Wie wird es der Müller wohl anstellen, daß er den Kasten zurückbekommt? Ob ich nicht nachschauen sollte? Ich werde rasch einmal meine Nase hinausstecken, aber natürlich so, daß der Müller mich nicht bemerkt...

Der kleine Wassermann schwamm zu den Uferbüschen und steckte, von ihren Zweigen verborgen, den Kopf aus dem Wasser. Da sah er den Müller händeringend am Ufer stehen und um Hilfe rufen:

„Zu Hilfe!" rief er. „Zu Hilfe! Ein kleiner Junge ist eben ins Wasser gefallen! Zu Hilfe, zu Hilfe!"

Nicht lange, so kamen auf sein Geschrei hin die Mühlenknechte gelaufen.

„Holt Stangen!" keuchte der Müller. „Ein Kind ist ins Wasser gefallen! Es ist aus dem Kahn gekippt! Los, nun beeilt euch schon, sonst ertrinkt es!"

Einer der Knechte rannte zur Mühle zurück, die zwei anderen stiegen ins Wasser und zogen den hölzernen Kasten ans Ufer. Als der eine die Stangen gebracht hatte, setzten sich alle vier in den Kasten und ruderten auf den Weiher hinaus.

Die Knechte suchten mit ihren Stangen den Grund ab. Der Müller wischte sich mit dem Sacktuch den Schweiß von der Stirn.

62

„Ogottogott!" stöhnte er. „Vor meinen Augen ist er hineingefallen, der Junge! Das Unglück, das Unglück!"

„Wer war es denn?" fragten die Knechte.

„Das weiß ich nicht", sagte der Müller. „Es ging ja so furchtbar schnell mit dem armen Jungen. Er trug eine rote Mütze und gelbe Stiefel, wenn mich nicht alles getäuscht hat. Aber was reden wir? Sucht lieber weiter!"

Ja, sucht mich nur! dachte der kleine Wassermann schadenfroh. Sucht nur! Das habt ihr davon, daß der Müller es anderen Leuten nicht gönnt, mit dem hölzernen Kasten zu fahren!

Die Rutschpartie

Am unteren Ende des Mühlenweihers war eine Schleuse. Die Schleuse hatte ein Tor. Dieses Tor war aus Balken zusammengefügt. Wenn der Müller an einer eisernen Kurbel über dem Schleusentor drehte, dann hob es sich Zoll für Zoll aus dem Wasser empor. Und drehte er anders herum, so sank es Zoll für Zoll wieder ins Wasser herunter.

„Der Müller", hatte der Wassermannvater dem Wassermannjungen erklärt, „der Müller läßt immer nur soviel Wasser durch dieses Tor aus dem Mühlenweiher hinaus, wie er für seine Mühle gerade braucht. Das Schleusentor ist sehr wichtig für uns. Denn wäre das Tor nicht, dann würden wir bald auf dem Trockenen sitzen."

Der Karpfen Cyprinus war immer ängstlich darauf bedacht, daß er dem Schleusentor nicht zu nahe kam. Er sagte ganz offen: „Dort ist es mir viel zu gefährlich! Wenn einen das Wasser, das unter dem Tor hinausströmt, zu fassen kriegt, ist man erledigt. Das reißt einen mit, ob man will oder nicht!"

„Ach was!" widersprach ihm der kleine Wassermann einmal. „Wenn man es schlau genug anfängt,
kann gar nichts passieren! Was gibst du mir, wenn
ich mich mitschwemmen lasse?"

„Nur das nicht!" wehrte Cyprinus erschrocken ab.
„Du bist wohl nicht recht bei Trost? Dich mitschwemmen lassen!"

„Jawohl!" rief der kleine Wassermann. „Glaubst
du, daß ich Angst habe? Aufgepaßt, es geht los!"

Und zum hellen Entsetzen des Freundes schwamm
er geradewegs auf das Schleusentor zu, das zur Hälfte
geöffnet war. Als er dann merkte, daß ihn die Strömung erfaßt hatte, ließ er sich treiben.

Dem braven Cyprinus sträubten sich alle Flossen.
In tausend Ängsten rief er: „Zurück! Zurück! Bist du
wahnsinnig, Junge?"

In seiner Verzweiflung schwamm er dem kleinen
Wassermann nach, und es fehlte nicht viel, da wäre
er selber auch noch mit in die Strömung hineingera-
ten. Ein Glück nur, daß er gerade noch rechtzeitig
einhalten konnte!

Er blubberte jammernd hinter dem kleinen Wassermann drein: „Der Junge, der Junge! Aus lauter Übermut bringt er sich um! Er scheint nicht zu wissen, der
Ärmste, was er sich da eingebrockt hat!"

Aber der kleine Wassermann wußte das ziemlich genau. Er kannte, zum Unterschied von Cyprinus, den Mühlenweiher ja nicht nur von innen! War er nicht oft genug schon am Ufer gewesen und hatte sich umgesehen?

Er wußte, daß hinter dem Schleusentor eine schmale, offene Wasserrinne mit hölzernem Boden und hölzernen Wänden begann. Das Wasser, das unter dem Tore hinausschoß, stürzte in dieser Rinne zur Mühle hinunter. Dort verschwand es mit großem Getöse in einem Bretterverschlag. Was ihm bevorstand, wenn ihn das Wasser mit in die Mühle hineinschwemmen würde, wußte der kleine Wassermann allerdings nicht. Aber er hatte auch gar nicht die Absicht, es auszuprobieren.

Er wollte nur seinem Freunde, dem Karpfen Cyprinus, ein bißchen bange machen. Er dachte sich: Wenn ich ans Tor komme, werde ich rasch meine Arme ausstrecken und mich daran festhalten! Dann werde ich ganz gemütlich ans Ufer klettern und mir eins lachen. Ich müßte ja schön dumm sein, wenn ich mich wirklich hinaustreiben ließe! Das wäre selbst mir zu gefährlich!

So war das nun also. Der gute Cyprinus war außer sich vor Entsetzen über den kleinen Wassermann, und der kleine Wassermann machte sich bloß einen Jux mit ihm.

Immer schneller und schneller strömte das Wasser dahin, und je rascher er dem geöffneten Tore zutrieb, desto besser gefiel es dem Wassermannjungen. Wie ein starker Wind strich das Wasser an seinem Körper entlang. Es zauste an seinem Rock und den grünen Haaren, die unter der Zipfelmütze hervorschauten.

Achtgeben, achtgeben, daß ich das Tor nicht verpasse...

Da war es!

Der kleine Wassermann streckte die Arme aus, griff nach dem untersten Balken und dachte schon: Gut so, ich habe ihn!

Aber der Balken...

Der Balken war viel zu glitschig! Das machten die Algen, die sich da angesetzt hatten. Als hätte ihn jemand mit Schmierseife eingeschmiert, so griff er sich an.

Der kleine Wassermann fand keinen Halt. Er glitt ab. Mit den Füßen voran, auf dem Rücken, flutschte er unter dem Schleusentor durch — in die Rinne!

Festhalten! dachte er, festhalten!

Aber was nützte ihm das?

Ach, das nützte ihm gar nichts. Es nützte auch nichts, daß er dachte: Wenn ich doch bloß auf den Karpfen Cyprinus gehört hätte! — Nein, das war alles umsonst.

Der kleine Wassermann schoß wie ein Hecht durch die hölzerne Rinne.

Er sah ein paar grüne Schatten vorbeiwischen — Bäume. Er sah ein paar weiße Flecken am Himmel dahinhuschen — Wolken. Er hörte von fern das Getöse, mit dem sich das Wasser zur Mühle hineinstürzte, hinter den Bretterverschlag.

Das Tosen kam näher, schwoll an, wurde lauter und lauter und lauter. Schon dröhnte dem kleinen Wassermann nur so der Kopf davon. — Es ist aus, es ist aus! war das einzige, was er noch denken konnte. Er machte sich steif, hielt den Atem an, wartete...

Jetzt!

Eine Bretterwand kam auf ihn zu — tat sich auf — und verschluckte ihn.

Nacht war es plötzlich geworden. Es donnerte, brodelte, zischte. Dann spürte der kleine Wassermann, daß er ein Stück durch die Luft flog. Er überschlug sich ein paarmal und rumpelte gleich darauf in die Tiefe.

Das Mühlenrad hatte ihn mitgenommen!

Ja, das war schlimm. Ein Menschenjunge, der hätte die Rutschpartie über das Mühlenrad schwerlich mit heiler Haut überstanden. Der hätte sich mindestens etliche Rippen dabei gebrochen und möglicherweise sogar das Genick.

Aber ein Wassermann hält eben doch etwas mehr aus! Der bricht sich so schnell nicht den Hals, und schon gar nicht, wenn er ins Wasser fällt.

Wohin sonst aber sollte der kleine Wassermann fallen, als er vom Mühlenrad herunterplumpste? Er plumpste vom Wasser ins Wasser. Und das war sein Glück!

Erst war er natürlich zu Tode erschrocken. Er wußte nicht, wie ihm geschehen war. Schleunigst schwamm er zur Sicherheit erst einmal wieder ins Freie hinaus, an die Sonne. Nur fort aus dem finsteren Bretterverschlag! war sein erster Gedanke.

Sein zweiter Gedanke war der, daß die Fahrt übers Mühlenrad eigentlich gar nicht so schlimm gewesen war. Im Gegenteil! Hinterher konnte man regelrecht Spaß daran finden.

Wie wäre es, dachte der kleine Wassermann, wenn ich das gleich noch einmal versuchte...?

Und das war sein dritter Gedanke.

Fünfundzwanzig!

Da hatte der kleine Wassermann also durch Zufall ein herrliches neues Spiel entdeckt!

Er ließ sich gleich noch ein paarmal hintereinander die Wasserrinne hinunterflutschen und über das Mühlenrad rumpeln. Kaum war er unten angekommen, so stieg er eins-zwei auch schon wieder ans Ufer, lief um die Mühle herum, rannte quer durch die Wiesen zum Mühlenweiher zurück, sprang kopfüber ins Wasser und rutschte von neuem hinunter.

Er rutschte noch viele Male. An diesem Tag und am nächsten Tag und an allen folgenden Tagen. Er rutschte mal so und mal so: auf dem Bauch, auf dem

Rücken, lang ausgestreckt oder zusammengerollt wie ein Igel.

Bald rutschte er mit den Händen in den Hosentaschen, bald verschränkte er seine Arme hinter dem Kopf. Manchmal fuhr er im Türkensitz, manchmal auf allen vieren. Dann wieder, wenn ihn der Rappel packte, schlug er auch ein paar Purzelbäume während der Fahrt.

Sein Glanzstück war es, die Füße bis an die Nasenspitze heraufzuziehen und mit dem Hintern voran durch die Rinne zu brausen. Nur schade, daß er dabei keine Zuschauer hatte!

Und schade auch, jammerschade sogar, daß der Müller das Schleusentor immer nur bis zur Hälfte hinaufkurbelte und nicht weiter!

Denn, dachte der kleine Wassermann, wenn er es weiter hinaufkurbeln würde, dann könnte doch viel mehr Wasser die Rinne hinunterlaufen. Und liefe mehr Wasser die Rinne hinunter, dann ließe sich's gleich noch einmal so schnell rutschen! Mir geht es schon viel, viel zu langsam dahin!

Und er hoffte von Tag zu Tag, daß der Müller das Schleusentor einmal ganz weit hinaufkurbeln würde. Aber der Müller dachte gar nicht daran, das zu tun. Und der kleine Wassermann sagte sich schließlich: Na schön, wenn's der Müller eben nicht selber tut, dann tu ich's!

Er wartete bis zum Sonntag.

Am Sonntag, das wußte der kleine Wassermann, gingen die Menschenleute, die in der Mühle wohnten, zur Kirche. Wenn sie erst allesamt aus dem Haus waren, konnte er ungestört tun, was er wollte.

Und richtig, am Sonntagmorgen, als im Dorf die Glocken zu läuten begannen, ging auch gleich die Mühlentür auf und heraus kam die Müllersfrau mit dem Gesangbuch unter dem Arm. Hinter der Müllersfrau kamen die Mühlenknechte, hinter den

Mühlenknechten kamen die beiden Mägde, und hinter den beiden Mägden kam dann als allerletzter der Müller selber. Er hatte den guten Rock mit den silbernen Knöpfen an, und auf dem Kopf trug er heute statt seiner mehligen Müllermütze einen hohen schwarzen Hut. Der kleine Wassermann hätte ihn beinah nicht wiedererkannt.

Der kleine Wassermann hockte im Röhricht am unteren Ende des Mühlenweihers, gleich neben dem Schleusentor. Er ließ den Müller und seine Leute nicht aus den Augen.

Er sah, wie der Müller einen großen Schlüssel aus der Rocktasche zog und die Mühlentür abschloß. Dann kam die ganze Gesellschaft in einer Reihe das Wiesenweglein heraufgepilgert. Voran ging die Müllersfrau, dahinter gingen die Mühlenknechte, dahinter die beiden Mägde. Am Ende des Zuges schritt in seinem schönen blauen Rock mit den silbernen Knöpfen der Müller. Alle machten zufriedene Sonntagsgesichter, und der kleine Wassermann in seinem Schilfversteck machte auch ein zufriedenes Gesicht.

Ahnungslos zogen die Müllersleute an ihm vorüber. Er sah ihre Beine dicht vor seiner Nase. Er hätte sie bequem in die Waden zwicken können, wenn er gewollt hätte. Aber er durfte sich nicht verraten.

74

Das Schleusentor war heruntergelassen, die Wasserrinne war leer, und das Mühlrad stand still. Die Müllersleute polterten auf der schmalen Bohlenbrücke über die Schleuse hinüber. Der Müller ruckte noch rasch an der Eisenkurbel, damit das Tor nur auch ja recht gut zubleiben sollte. Dann ging er mit großen Schritten den anderen nach.

Der kleine Wassermann wartete, bis die Müllersleute zwischen den Feldern verschwunden waren. Er wartete aber auch dann noch ein Weilchen. Und erst als er wußte, daß sie nun bald in der Kirche sein mußten, stieg er aus seinem Versteck und machte sich an die Arbeit.

Es war eine Schinderei mit dem Schleusentor!

Der kleine Wassermann zerrte eine halbe Ewigkeit an der Eisenkurbel herum, er zerrte aus Leibeskräften. Aber sie rührte sich nicht.

Der kleine Wassermann zog sich die Jacke aus. Er spuckte in die Hände. Er holte tief Luft.

Er mußte noch oft in die Hände spucken und noch viele Male tief Luft holen.

Endlich gelang es!

Die Eisenkurbel gab nach, sie quietschte und kreischte. Langsam hob sich das Schleusentor. Das erste Wasser gluckerte durch den Spalt in die Rinne.

Na also! dachte der kleine Wassermann und verschnaufte ein wenig. Dann aber packte er gleich wieder zu. Und jetzt ging die Arbeit bedeutend leichter!

Der kleine Wassermann drehte und drehte. Rechte Hand, linke Hand — rechte Hand, linke Hand! Die Eisenkurbel kam nicht mehr zur Ruhe. Immer lauter gluckerte das Wasser unter dem Schleusentor hindurch. Bald war aus dem Gluckern ein Rauschen geworden, bald aus dem Rauschen ein Brausen. Nicht lang, so begann in der Ferne das Mühlenrad zu klappern. Klipp — klapp, fing es an. Klipp — klapp. Und das klang recht verschlafen.

Nach einer Weile machte es aber schon so: Klipp — klapp, klipp — klapp, klipp — klapp.

Und wieder nach einer Weile: Klappklappklapp — klappklappklapp — klappklappklapp.

Zuletzt war dann nur noch ein einziges Rattern zu hören: Rattatattatattatattatattatattatattata...

So schnell kann man gar nicht sprechen! Den guten Müller hätte wahrscheinlich auf der Stelle der Schlag getroffen, wenn er das hätte hören müssen!

Aber der Müller war ja, gottlob, in der Kirche, er konnte das nicht hören. Und der kleine Wassermann kurbelte fröhlich weiter.

Er kurbelte das Schleusentor ganz hinauf, so hoch, bis es nicht mehr weiter ging. Das Wasser sauste und brauste zu seinen Füßen, es füllte die Holzrinne bis an den obersten Rand. So war's richtig! Jetzt mußte es mindestens doppelt so schnell gehen, wenn er hineinsprang!

Der kleine Wassermann stürzte sich kopfüber von der Schleusenbrücke hinunter. Das Wasser ergriff ihn. Er schoß wie ein Pfeil durch die Rinne — aufs Mühlenrad — und schwupp in die Tiefe! Kaum daß er bis drei zählen konnte, da war er schon unten.

Ach ja, das gefiel ihm! So hatte er es sich immer gewünscht! Drum nicht lange gefackelt, hinaus aus dem Bretterverschlag, um die Mühle herum, durch die Wiesen zurück, und sofort wieder — platsch! — von der Brücke ins Wasser!

So ging das ein dutzendmal und noch öfter. Bis plötzlich, wie aus dem Boden gewachsen, der Wassermannvater vor ihm stand.

„Bist du das gewesen?" fragte er zornig und wies auf das hochgekurbelte Schleusentor. „Hat man Worte?! Da läßt dieser Lausejunge den Teich ab! Na warte, mein Bürschchen, das will ich dir austreiben! Her da!" Der Wassermannvater erwischte den Jungen beim Kragen. Mit der linken Hand hielt er ihn fest, mit der rechten begann er das Schleusentor wieder hinunterzukurbeln.

„Was denkst du dir eigentlich?" schimpfte er weiter. „Wir sollen wohl alle vertrocknen, wie? Der Weiher ist schon zur Hälfte leer! Und warum? Weil der kleine Herr Wassermann Unsinn macht und die

Schleuse sperrangelweit aufleiert! — Bürschlein, das kostet dich fünfundzwanzig!" Der Wassermannvater hielt Wort. Als die Schleuse geschlossen war, legte er den zappelnden kleinen Wassermann über das Knie und zahlte ihm die versprochenen Fünfundzwanzig gewissenhaft aus.

Habuh! Habuuuh!

Der kleine Wassermann sammelte alles, was die Menschen achtlos in den Mühlenweiher warfen: Blechbüchsen, Glühbirnen, durchgelaufene Holzpantoffeln und andere wertvolle Dinge mehr. Er versteckte sie unter den Steinen hinter dem Wassermannshaus. Mit der Zeit kamen in seiner Schatzkammer allerhand Reichtümer zusammen, und eines Tages zeigte sie der kleine Wassermann voller Stolz seinem Freunde, dem Karpfen Cyprinus.

Cyprinus besah sich die einzelnen Stücke von hinten und vorn. Dann verzog er spöttisch das Maul und erklärte:

„Alles was recht ist, mein Lieber — aber was tust du zum Beispiel mit einem Henkeltopf ohne Boden? Und was mit dem alten, verrosteten Schürhaken da? Einen löchrigen linken Schuh hast du auch, wie ich sehe. Und Bierflaschen scheinst du ja gleich ein paar Dutzend auf Lager zu haben."

„Bierflaschen finde ich ziemlich oft. Die meisten sind leider gesprungen", sagte der kleine Wassermann. „Aber das tut nichts, ich hebe sie trotzdem auf."

„Und — wozu, wenn man fragen darf?" forschte der Karpfen Cyprinus.

„Wozu?" wiederholte der kleine Wassermann überrascht. Es wäre ihm nie in den Sinn gekommen, danach zu fragen. Er suchte in aller Eile nach einer Antwort. Noch während er nachdachte, sagte Cyprinus: „Na, siehst du, da haben wir's! Nicht einmal *du* weißt, wozu du den ganzen Plunder da eigentlich aufklaubst. Das alles ist unnützes Zeug, du solltest es wegwerfen!"

„Wegwerfen?" brauste der kleine Wassermann da aber auf. „Das kommt gar nicht in Frage, das mußt du schon mir überlassen!"

„Nun gut", sprach Cyprinus, „ich rede dir nicht hinein, es ist deine Sache. Wenn es dir Spaß macht,

Gerümpel zu sammeln, dann bitte! Ich jedenfalls würde das nicht tun. Aber ich bin ja auch schließlich ein alter Knabe und nicht erst seit gestern im Wasser."

Cyprinus stieß ein paar Luftblasen aus, um zu zeigen, daß er nun nichts mehr hinzuzufügen gedachte. Dann schwamm er für diesmal davon.

Der kleine Wassermann blickte ihm zornig nach.

„Du kannst reden, soviel du willst!" rief er hinter ihm drein. „Aber mir meine schönen Sachen verleiden, das bringst du dein Lebtag nicht fertig!" Und im stillen hoffte er auf eine Gelegenheit, bei der er Cyprinus davon überzeugen konnte, daß sich mit seinen Reichtümern doch etwas anfangen ließ.

Er brauchte nicht lange darauf zu warten.

Es waren noch keine drei Tage vergangen, da traf er das nächste Mal mit Cyprinus zusammen. Der Alte machte ein bitterböses Gesicht und blubberte immerfort vor sich hin. Was er sagte, verstand der kleine Wassermann nicht; aber daß es bestimmt keine freundlichen Worte waren, das sah er.

„Cyprinus!" rief er ihn an, „ja, was ist denn mit dir los?"

„Ach, laß nur", bekam er zur Antwort, „ich ärgere mich."

„Daß du dich ärgerst", sagte der kleine Wassermann, „sieht ja ein Blinder! Aber worüber denn?"

„Über den Kerl mit der Angel!" Entrüstet schnappte
Cyprinus nach Wasser. „Es ist eine Schande, daß man
den Burschen nicht auffressen kann! Sitzt da am Ufer
und wartet darauf, daß man anbeißt! Ich frage dich,
ob das kein Grund ist, sich krank zu ärgern. Auffressen, wenn ich ihn könnte!"

„Auffressen", sagte der kleine Wassermann,
„kannst du ihn nicht. Und ich auch nicht. Aber — ich
könnte vielleicht etwas anderes..."

„So?" sprach der Karpfen Cyprinus gedehnt und
schaute den kleinen Wassermann ungläubig an.
„Und das wäre?"

„Abwarten, abwarten", wehrte der kleine Wassermann ab, denn er wollte Cyprinus damit überraschen.

Der Karpfen mußte ihm zeigen, wo die Angel-
schnur mit dem Haken ins Wasser hing. Dann hieß
er den Alten näher ans Ufer schwimmen und achtgeben, was mit dem Angler geschehen würde. „Mehr
kann ich dir jetzt nicht verraten", erklärte er augen-
zwinkernd, „es ist ein Geheimnis."

Cyprinus schwamm also näher ans Ufer und wartete. Mißtrauisch schielte er auf den Menschenmann,
der die Angelrute über den Teich hielt. Neben

dem Menschen-
mann stand ein
Eimer. Ab und
zu schwappte
Wasser heraus.
Er hat wohl
schon ein paar
von uns gefan-
gen, dachte Cy-
prinus mit Grau-
sen. Schlimm

muß das sein, so im
Eimer zu zappeln.
Hoffentlich beißt ihm
nicht noch einer an...
Aber kaum hatte
Cyprinus das ge-
dacht, da sah er auch
schon, wie der Men-
schenmann plötzlich

die Augen zusammenkniff und sich duckte. Dann riß er mit einem gewaltigen Ruck seine Angel zurück.

O jemine! ging es dem guten Cyprinus durch Mark und Gräten. Da hat er schon wieder einen am Wickel, dieser entsetzliche Kerl! Und unsereins muß sich das auch noch ansehen!

In hohem Bogen kam etwas ans Ufer geflogen und landete klatschend im Gras.

Der Menschenmann stürzte sich gleich voller Eifer auf seinen Fang. Aber hoppla, das war ja diesmal gar kein Fisch, den er da heraufgeangelt hatte! Das war ja... Der Karpfen Cyprinus riß staunend das Maul auf. Das war ja ein löchriger linker Schuh!

Ja wahrhaftig, ein lumpiger, löchriger linker Schuh hing am Angelhaken!

Da ging dem Karpfen Cyprinus ein Licht auf. Er wußte natürlich sofort, wie der Schuh an den Haken gekommen war. Aber der Menschenmann wußte das nicht. Woher hätte der es auch wissen sollen?

Er machte zuerst ein verdutztes Gesicht, dann begann er zu wettern. Ärgerlich band er den Schuh los und schleuderte ihn in den Weiher zurück. Er zog eine Blechschachtel aus dem Stiefelschaft, holte daraus einen fetten Regenwurm hervor, spießte ihn auf den Haken und warf seine Angel wieder aus.

„Viel Glück!" blubberte Cyprinus. „Ich bin ja gespannt, was du diesmal herauffischen wirst!"

Zur Abwechslung war es kein Schuh, den der Menschenmann eine Weile später an Land zog, sondern ein alter, verrosteter Schürhaken. Wie da der Menschenmann schimpfte! Dem Karpfen Cyprinus gefiel das. Er wackelte schadenfroh mit den Flossen und dachte sich: Dir wird die Freude am Angeln vergehen, mein Lieber! Mal sehn, was das nächste Mal dranhängt...

Noch siebenmal warf der Menschenmann seine Angel aus, und jedesmal kam ihm die Sache verhexter vor. Nach dem Schürhaken fing er eine leere Bierflasche, nach der Bierflasche holte er einen durchgelaufenen Holzpantoffel herauf; dann zog er der Reihe nach ein durchlöchertes Sieb, eine Mausefalle, ein Reibeisen und einen verbeulten Lampenschirm aus dem Weiher. Aber das letztemal hing ein Henkeltopf ohne Boden an seiner Angel. Und in dem Henkeltopf steckte der kleine Wassermann.

Er hatte sich seine rote Zipfelmütze tief in die Stirn gezogen, schlug wie ein Wilder mit Armen und Beinen um sich und brüllte: „Habuh! Habuuuh!"

Das hörte sich schauerlich an!

Der Menschenmann ließ vor Entsetzen die Angel fallen und rannte was-hast-du-was-kannst-du davon. Unterwegs verlor er die Blechschachtel mit den Würmern. Er achtete gar nicht darauf. Er rannte, als ob ihm der Teufel im Nacken säße. Ohne sich noch einmal umzublicken, verschwand er.

„So!" rief der kleine Wassermann fröhlich und schlüpfte aus seinem Henkeltopf wieder heraus. „Ich schätze, den sehen wir nicht so bald wieder! Was meinst du, Cyprinus?"

„Ich meine", sagte der Karpfen bedächtig, „das hast du ihm herrlich gegeben! Das hätte ein großer Wassermann auch nicht besser gekonnt!"

„Aber ohne den unnützen Plunder", sagte der kleine Wassermann lachend und klopfte dabei mit dem Fingerknöchel an seinen Henkeltopf ohne Boden, „da wäre das gar nicht so einfach gewesen."

„Ach ja", sprach Cyprinus, „ich sehe ja ein, daß du recht hattest. Sammle nur fleißig weiter Gerümpel! Ich werde mich hüten, noch einmal darüber zu spotten!"

„Na, wenn du's nur einsiehst, dann ist ja alles in Ordnung", sagte der kleine Wassermann selbstzufrieden. „Da kann ich beruhigt ans Ufer schwimmen."

„Ans Ufer?" fragte Cyprinus verwundert. „Was willst du denn dort?"

„Erstens die Angelrute zerbrechen", erklärte der kleine Wassermann, „zweitens die armen Kerle, die da so kläglich im Eimer herumzappeln, wieder in den Weiher zurückschaffen — und drittens..."

„Und drittens?"

„Drittens will ich die Blechschachtel holen, die dieser Angelfritze verloren hat, und die restlichen Regenwürmer einem gewissen Cyprinus zum Gabelfrühstück verehren."

„Aber nein!" rief Cyprinus gerührt.

„Aber ja!" rief der kleine Wassermann. „Und ich hoffe, sie werden ihm schmecken!"

Saitenspiel

„Der Junge macht sich", sagte der Wassermannvater anerkennend, als ihm der Karpfen Cyprinus die
Geschichte von dem Menschenmann mit der Angel
erzählt hatte. „Hast du auch nichts dazugeflunkert,
Cyprinus?"

„So wahr ich hier schwimme!" beteuerte der Karpfen. „Ich habe nur das gesagt, was ich mit meinen
eigenen Augen gesehen habe. Und wenn ich auch
nur ein einziges bißchen geflunkert habe, dann will
ich doch auf der Stelle vertrocknen!"

„Ja, wenn das so ist, dann muß es wohl stimmen",
meinte der Wassermannvater. „Und da gehört es sich
eigentlich, daß ich dem Jungen zum Lohn dafür, daß
er den Kerl mit der Angel davongejagt hat, eine
Freude mache. Was hältst du davon?"

Er winkte Cyprinus ganz nahe zu sich heran und
sagte ihm leise ins Maul (denn bekanntlich haben die
Karpfen ja keine Ohren), was er mit seinem kleinen
Wassermann vorhatte.

„Mmm", sprach Cyprinus und schmunzelte. „Ja,
das ist wirklich ein guter Gedanke von dir! Damit
machst du dem Jungen bestimmt eine große Freude.
Wann sagst du es ihm?"

90

„Heute abend", erklärte der Wassermannvater und schmunzelte auch. „Nach dem Nachtmahl, bevor er ins Bett geht. Ich möchte ihn gern damit überraschen."

Wie gut, daß der kleine Wassermann nichts davon wußte! Sonst hätte er sicher beim Abendessen vor Aufregung nicht einen Bissen hinuntergebracht. Aber er hatte ja keine Ahnung von dem, was sein Vater sich für ihn ausgedacht hatte. Er löffelte brav seine Suppe hinein und aß seinen Teller voll Brei — genau wie an jedem anderen Abend. Und als er zu Ende gegessen hatte, stand er auf, um den Eltern gute Nacht zu sagen.

„Hör mal, mein Junge", begann da der Wassermannvater. „Ich sehe, du willst schon zu Bett. Aber eigentlich — eigentlich paßt mir das gar nicht. Ich habe mir nämlich gedacht, du könntest mich noch ein wenig begleiten."

„Be-glei-ten?" fragte der kleine Wassermann ganz verwundert.

„Ja", wiederholte der Wassermannvater, „begleiten. Es ist so ein schöner Abend heute. Ich will noch ein Stündchen hinauf, oder zwei — und — ich nehme die Harfe mit."

„Wirklich?" Der kleine Wassermann dachte, er

höre nicht recht. „Hast du wirklich gesagt, daß ich mitkommen darf? — Du, das ist ja …"

„Das ist", sprach der Wassermannvater und legte dem Jungen die Hand auf die Schulter, „das ist für dein Abenteuer von heute nachmittag. Cyprinus hat mir davon erzählt, und ich finde, du hast es dir redlich verdient, daß du mitkommen darfst."

Er nahm seine Harfe vom Haken und winkte dem kleinen Wassermann, ihm zu folgen.

Der kleine Wassermann war sehr glücklich darüber. Es war ja das erstemal, daß sein Vater ihn mitnahm, wenn er am Abend noch einmal hinaufging.

Wie oft schon hatte der Junge darum gebeten! Und jedesmal war er auf später vertröstet worden.

„Wenn du älter bist, läßt sich darüber vielleicht einmal reden", hatte der Vater ihm unlängst erst wieder geantwortet. „Vorläufig bist du für so etwas noch zu klein, da gehörst du am Abend ins Bett."

Ja, der Wassermann hätte ihm kaum eine größere Freude bereiten können als damit, daß er ihn jetzt mit hinaufnahm.

Über dem Mühlenweiher war es schon dunkel geworden. Die Büsche und Bäume am Ufer nahmen sich nur mehr wie Schatten aus. Und am Himmel darüber erglänzten die ersten Sterne.

Das Schilf rauschte auf, als die beiden an Land stiegen. Der Wassermann trug seine Harfe unter dem Arm. Wenn ein Halm im Vorbeistreifen über die Saiten strich, hoben sie sachte zu klingen an.

Sonst war es still um sie her.

Nur der Wind kam mit leisem Atem und trug aus den Wiesen das Zirpen der Grillen zu ihnen herüber. Und manchmal regte sich irgendwo in den Zweigen ein Vogelstimmchen. Es zwitscherte auf, aus dem Traum, und verstummte dann wieder. Und weit in der Ferne, so fern, daß es außer der Welt schien, war dann und wann das Gebell eines Hundes zu hören.

Der Wassermann schritt auf die alte Weide zu. Er setzte sich unter dem Baume ins Gras. Der Junge setzte sich schweigend daneben und wartete.

Eine Weile danach hob der Wassermannvater die Harfe. Er lehnte sich gegen die Weide zurück. Dann begann er zu spielen.

Er spielte so schön, daß der Junge die Augen schloß.

Als er dann wieder aufschaute, sah er, wie rings aus den feuchten Wiesen die Nebelfrauen emporstiegen, weiß und mit wehenden Schleiern.

Hatte der Vater mit seinem Spiel sie heraufgelockt?

Lautlos schwebten sie über den Rasen dahin. Bald nah und bald wieder entgleitend, tanzten sie mit dem nächtlichen Wind zu den Klängen der Wassermannsharfe.

Lauter Silber

Der kleine Wassermann war wie verzaubert. Er ließ keinen Blick von den tanzenden Nebelfrauen.

Wie treibende Wolken nahmen sie ohne Unterlaß neue Gestalt an. Vor seinen Augen verschmolzen sie miteinander und teilten sich wieder. Und manchmal geschah es auch, daß sich die oder jene von ihnen mitten im schönsten Dahinschweben auflöste, spurlos wie Rauch vor dem Wind.

Der kleine Wassermann folgte dem flüchtigen Treiben so gebannt, daß er gar nicht bemerkte, wie hinter den Hügeln allmählich ein blasser, rötlicher Lichtschein am Himmel heraufkam. Er wurde ihn erst gewahr, als der Vater sein Harfenspiel unterbrach und ihn leise anrief.

„Sieh hin!" rief der Wassermannvater mit halber Stimme und wies dabei nach der schimmernden Stelle am Himmelsrand. „Bald wird er aufgehen."

„Wer denn?" wollte der kleine Wassermann ebenso leise zurückfragen. Weil aber der Vater in diesem Augenblick wieder fortfuhr, auf seiner Harfe zu spielen, schluckte der Junge die Frage hinunter und dachte: Ich werde ja sehen, was er gemeint hat.

Der schimmernde Streifen am Himmelsrand wurde heller und heller, je länger der kleine Wassermann voller Erwartung hinübersah. Immer höher empor stieg der rötliche Schein, immer kräftiger floß es von unten nach. Bald vermochte der kleine Wassermann jeden einzelnen Baum auf den Hügeln davor zu erkennen; so deutlich hoben sich Stämme und Wipfel im Schattenriß gegen den leuchtenden Hintergrund ab.

Und dann tauchte mit einemmal eine strahlende, kreisrunde Scheibe am Himmel herauf, goldgelb und gleißend wie eine wunderbar groß geratene Dotterblume.

Da konnte der Wassermannjunge nicht länger an sich halten.

„Vater!" rief er. „Die Sonne...!"

Der Wassermann lächelte, als er das hörte. Und ohne im Saitenspiel innezuhalten, entgegnete er: „Aber Junge, das ist doch der Mond, der da aufgeht."

„Der — Mond?"

„Ja, der Mond", sprach der Wassermannvater.

Und weil ihm nun einfiel, daß ja der kleine Wassermann mit dem Namen allein nicht viel anfangen
konnte, begann er dem Jungen vom Mond zu erzählen: Wie er in klaren Nächten über den Himmel zieht,
wie er zunimmt und abnimmt und manchmal auch
ganz verschwindet; und wie er dann doch immer wie-
derkommt und von neuem heranwächst, sich rundet
und voll wird; und was er auf seinen Reisen schon
alles erlebt haben mag und noch weiter erleben wird,
bis an das Ende der Zeiten.

Und immer, wenn er dem Jungen ein Weilchen erzählt hatte, spielte der Wassermann wieder auf seiner
Harfe, bevor er dann abermals anhob, um weiterzu-
sprechen.

Der Mond war indessen schon höher emporgestie-
gen. Gemächlich kam er am Himmel dahergeschwommen. Der kleine Wassermann hatte sich rücklings ins
Gras gestreckt, um ihn besser betrachten zu können.

Fast unmerklich hatte der Mond seine Farbe ge-
wechselt. Er war nun aus einer Dotterblume zum
funkelnden Silbertaler geworden. Und alles, was er
mit seinen Strahlen nur anrührte, nahm einen silbernen Glanz an. Er hatte den Himmel versilbert, die
Wiesen, den Weiher, das Schilf und die tanzenden

Nebelfrauen, den Kahn, der am Ufer lag, und das Laub auf den Bäumen.

„Jetzt treibt er geradewegs auf die alte Weide zu", sagte der Wassermannjunge auf einmal. „Er wird doch in ihren Zweigen nicht hängenbleiben?"

„Du kannst ja hinaufsteigen", meinte der Wassermannvater, verstohlen schmunzelnd, „und kannst ihm darüber hinweghelfen."

„Ja", sprach der Wassermannjunge, „das werde ich tun."

Und er kletterte rasch auf die alte Weide hinauf, um den Mond aus den Zweigen zu heben. Aber er hatte sich unnütze Sorgen gemacht, und so sehr er sich reckte und dehnte — er konnte den Mond nicht erreichen.

Schon wollte der Vater ihn wieder herunterrufen, da hörte er, wie ihn der Junge verwundert fragte:

„Haben wir unten im Weiher denn auch einen Mond?"

„Nicht daß ich wüßte", sagte der Wassermannvater. „Wie käme ein Mond in den Weiher?"

„Aber ich sehe ihn doch!" rief der Wassermannjunge. „Ich sehe sie alle beide! Den einen am Himmel, den anderen unten im Wasser. Wie schön das ist, daß wir auch einen Mond haben! Wenn er uns nur

nicht davonschwimmt... Aber ich weiß schon, ich werde ihn einfangen! Wenn ich hinunterspringe, dann kann ich ihn festhalten! Denk' dir nur, wie die Mutter sich wundern wird, wenn ich ihr plötzlich den Mond auf den Küchentisch lege!"

Ehe der Vater noch etwas auf diese Rede entgegnen konnte (es ist aber möglich, daß er das gar nicht im Sinn hatte), stürzte der kleine Wassermann sich von der Weide hinab in den Weiher. Er streckte im

Fallen die Hände aus, um den Mond, der da funkelnd im Wasser trieb, nicht zu verfehlen.

Aber was war das?

Als er mit seinen Fingerspitzen den Wasserspiegel berührte, löste der Mond sich in Ringe von silbernen Wellen auf.

„Hast du ihn?" fragte der Wassermannvater, kaum daß der prustende Junge wieder emporgetaucht war.

Aber er wartete seine Antwort nicht ab; denn er sah, wie der Junge nun selber mitten im flüssigen Silber schwamm, und wie silberne Tropfen aus seinen Haaren sprühten, als er sich schüttelte.

Und das freute den Wassermann so, daß er wieder nach seiner Harfe griff und nicht aufhörte, weiterzuspielen, solange der kleine Wassermann drunten im mondbeschienenen Weiher sein Silberbad nahm.

Jetzt reicht's aber!

Der Sommer ging langsam zur Neige. Das Korn war geschnitten, von allen Seiten schwankten die Erntewagen dem Dorfe zu, in den Obstgärten reiften die Äpfel und Birnen heran.

Wieder einmal war der kleine Wassermann auf die alte Weide geklettert, um Ausschau zu halten. Da sah er drüben, auf der Landstraße, einen Menschenmann kommen.

Der Menschenmann war lang und dürr, er hatte einen vornehmen schwarzen Anzug an und machte Schritte wie ein Storch. Unter dem linken Arm trug er einen zusammengeklappten Regenschirm, und auf der Nase hatte er ein Gestell aus Draht oder so etwas ähnlichem sitzen. Es waren zwei Ringe mit einem Bügel dazwischen. Von jedem der beiden Ringe ging außen ein langer Draht weg, der am Ende gebogen war. Mit diesen umgebogenen Enden hing das Gestell an den Ohren des Menschenmannes.

Der kleine Wassermann hatte sein Lebtag noch keine Brille gesehen, er wußte nicht einmal, daß es so etwas gibt. Was mag das nur für ein Gestell sein? ging es ihm durch den Kopf. Ob ich nicht rasch an die Straße laufe und mir das Ding aus der Nähe begucke?

Hops, sprang der Wassermannjunge hinunter ins Gras und lief an die Straße. Dort wartete er, bis der Menschenmann angestorcht kam. Da trat er ihm in den Weg, zog die Zipfelmütze und sagte:

„Guten Tag, Menschenmann! Sag mal, was ist denn das eigentlich für ein Ding da auf deiner Nase?"

Der Fremde blieb stehen, schaute den kleinen Wassermann durch die beiden Ringe an und erwiderte unwirsch: „Du hast es gerade nötig, dich über andere Leute lustig zu machen!"

„Wie meinst du das?" fragte der kleine Wassermann.

Der Menschenmann rümpfte die Nase.

„Na, hörst du! Wenn jemand so scheußliche grüne Haare hat, sollte er lieber ganz still sein. Wie kann ein Mensch nur so grüne Haare haben!"

„Entschuldige", wandte der kleine Wassermann ein. „Ich bin ja auch gar kein Mensch. Ich bin ja ein Wassermann."

„Was?" rief der Lange. „Ein Wassermann? Daß ich nicht lache! Und so einen Unsinn soll ich dir auch noch glauben?"

„Wieso ist das Unsinn? Es stimmt doch", sagte der kleine Wassermann.

„Ja, es stimmt, daß du dumm bist. Ein Wassermann willst du sein? Ach, du meine Güte, ein Wassermann! Hat man denn so etwas schon gehört? Wassermänner gibt es doch gar nicht!"

„Wie?" rief der kleine Wassermann. „Wen gibt es nicht? Du wirst doch nicht etwa behaupten wollen, daß ich nicht hier vor dir stehe? Sieh mich doch an!"

Es fuchste ihn, daß der Menschenmann so gesprochen hatte. Aber es kam noch viel besser!

„Laß mich mit deinem Gefasel zufrieden, du grüner Bengel du!" fuhr ihn der Menschenmann an. „Wenn du nicht augenblicklich verschwindest, dann setzt's was! Was denkst du dir eigentlich? Sehe ich wirklich so dumm aus, als würde ich noch an den Wassermann glauben? Es gibt keine Wassermänner, verstanden!"

„Jetzt reicht's aber!" schimpfte der kleine Wassermann. „Wenn du nicht glauben willst, was du siehst, dann ... Dann bist du so dumm, wie du lang bist!"

„Waaas?" rief der Menschenmann aufgebracht, und er drohte ihm zornig mit seinem zusammengeklappten Regenschirm. „Was bin ich? Sag das noch einmal, du freche Kröte!"

Er machte einen Satz, als wollte er den kleinen Wassermann beim Schlafittchen nehmen. Der aber ließ sich so schnell nicht erwischen. Husch, war er schon ein paar Schritte davongelaufen.

„Fang mich doch, wenn du kannst, du langer Dummerjan!" rief er und drehte dem Menschenmann eine lange Nase. „Du bekommst mich ja doch nicht!"

„Das werden wir erst noch sehen!" schnaubte der Lange.

Er schwang seinen Regenschirm wie einen Säbel

und setzte in großen Sprüngen dem kleinen Wassermann nach. So rannten sie quer durch die Wiesen,
dem Mühlenweiher zu.

Warte, dir will ich's zeigen, ob es mich gibt oder
nicht! dachte der kleine Wassermann. Ich muß dich
nur erst an der richtigen Stelle haben! Er lief nicht zu
schnell und nicht zu langsam. Er lief immer im Zick-
zack, und so, daß der Menschenmann jeden Augenblick meinte: Beim nächsten Schritt kriege ich ihn!
Und dann griff er doch wieder nur in die Luft.

Aber als sie am Ufer des Mühlenweihers angekommen waren, da drehte sich der kleine Wassermann
blitzschnell um, erwischte den Menschenmann bei
den Füßen und zerrte ihn — flutschdich! — ins
Wasser.

Der Menschenmann wußte erst gar nicht, wie ihm geschah. Er wollte um Hilfe rufen und fuchtelte ganz verzweifelt mit seinem Regenschirm. Aber der kleine Wassermann tunkte ihn unter, bevor er auch nur einen einzigen Schrei hatte ausstoßen können. Und weil ihn der Menschenmann so in die Wolle gebracht hatte, tunkte er ihn gleich nochmal und nochmal und immer noch einmal. Bis der Lange so viel Mühlenweiherwasser geschluckt hatte, daß er rot und blau im Gesicht wurde. Da ließ ihn der kleine Wassermann endlich los.

Der Menschenmann krabbelte ganz verdattert ans Ufer. Sein schöner schwarzer Anzug hing ihm klatschnaß um die Glieder. Seine Haare waren voll Schlamm. Er zog eine lange Schleppe von Teichgras und Schlingpflanzen hinter sich her. Bei jedem Schritt schwappte Wasser aus seinen Schuhen. Jämmerlich sah er aus!

Sein zusammengeklappter Regenschirm schwamm auf dem Mühlenweiher.

Der kleine Wassermann war zufrieden. Er packte den Schirm und warf ihn dem Menschenmann nach. Dann rief er:

„Heda, du langer Lulatsch mit deinem Gestell auf der Nase! Glaubst du nun, daß ich ein Wassermann bin?"

Da rannte der Menschenmann davon, so schnell ihn seine langen, dürren Beine trugen. Der kleine Wassermann aber lachte, daß er sich den Bauch halten mußte. Und alle Fische, Schnecken und Wasserflöhe im Mühlenweiher lachten mit.

Gebratene Steine

Es war ein schöner, sonniger Herbsttag, und auf dem Mühlenweiher schwammen die ersten gelben Blätter. Wie goldene Schifflein trieben sie über den Teich. Der kleine Wassermann saß vor der Haustür des Wassermannshauses und zählte sie.

„Eins, zwei, drei, vier", zählte der kleine Wassermann. Und er dachte dabei: Wenn es genau neunundneunzig sind, dann darf ich mir etwas wünschen. Und was ich mir wünschen werde, das geht dann bestimmt in Erfüllung. Denn neunundneunzig ist eine Glückszahl.

Aber als er gerade bei siebenundsechzig war, hörte er aus der Ferne, von über dem Wasser her, ein leises Gebimmel — bald hell und bald dunkler. Mit dem Gebimmel zusammen drang auch ein dumpfes Blöken zu ihm herunter. Das hörte sich an, als ob jemand mit tiefer Stimme in einen leeren Eimer hineinriefe.

Ach, mag es bimmeln und blöken dort oben, dachte der kleine Wassermann, ich muß zählen!

Und er gab sich alle Mühe, nicht hinzuhören. Aber wie das so geht, er hörte trotzdem immer wieder hin und überlegte dabei, was es sein könnte. Und

plötzlich wußte er nicht mehr genau, ob nun zwei-
undsiebzig oder dreiundsiebzig an der Reihe war. Vor
lauter Hören und Überlegen war er ganz durchein-
andergekommen.

Wie schade! dachte der kleine Wassermann. Mit
dem Wünschen ist es nun leider vorbei. Aber vielleicht wären es am Ende gar keine neunundneunzig
Blätter gewesen, und dann wäre auch so nichts daraus geworden. Ich möchte aber doch gar zu gern wissen, was dort oben los ist!

Er stieß sich mit beiden Füßen vom Grund ab und
tauchte empor. Als er den Kopf aus dem Wasser hob,
hörte er, daß das Bimmeln und Blöken von der Wiese
hinter dem Weiher kam. Da schwamm er ans Ufer
und bog mit den Händen das Schilf auseinander. Nun
konnte er auf die Wiese hinausblicken wie durch den
Spalt eines Vorhangs.

Aber da war er beinahe ein bißchen enttäuscht von
dem, was er sah. Denn er hatte sich wunder was vor-
gestellt — und nun waren es bloß ein paar Kühe. Die
zogen gemächlich über die Wiese und grasten.

Bei jedem Schritt, den sie taten, erklangen die
Glocken an ihren Hälsen. Manchmal hob eines der
Tiere den Kopf und muhte. Dann muhten die ande-
ren Kühe zurück. Und dann wieder war eine Zeitlang

außer dem Glockengebimmel nur ihr zufriedenes Schnurpsen und Schnaufen zu hören.

Und deshalb bin ich nun eigens heraufgeschwommen! dachte der kleine Wassermann. Kühe, gewöhnliche Kühe! — Schon wollte er wieder nach Hause schwimmen, doch da bemerkte er etwas, das ihm recht sonderbar vorkam.

Am Rande der Wiese saßen drei Menschenjungen, die hatten ein Feuerchen angemacht und warfen von Zeit zu Zeit faustgroße gelbe Kieselsteine hinein. Nach einer Weile holten sie dann die Steine mit ihren Stecken wieder heraus, schabten die Asche herunter und aßen die Steine auf.

Darüber wunderte sich der kleine Wassermann sehr. Er wußte ja schon, daß die Menschen allerhand seltsame Gewohnheiten hatten, aber daß sie gebratene Steine verzehrten, das war ihm neu!

Kurz entschlossen verließ er das Schilf, überquerte die Wiese und fragte die Buben am Feuer:

„Laßt ihr mich mal davon kosten? Ich habe nämlich mein Lebtag noch keine gebratenen Steine gegessen."

„Wir auch nicht", gaben die Buben zur Antwort.

„Aber ich habe doch selber gesehen, daß ihr welche gegessen habt!" sagte der kleine Wassermann eigensinnig. „Es sind wohl besondere Steine, die ihr da bratet, nicht wahr?"

Da verstanden die Menschenjungen erst, was er meinte. Und sie mußten so schrecklich darüber lachen, daß sich die Kühe verwundert nach ihnen umschauten.

„Was?" rief der eine Junge. „Gebratene Steine?"

„Das sind doch Erdäpfel!" riefen die beiden anderen. „Kennst du denn keine Erdäpfel?"

„Nein, woher soll ich die kennen", sagte der kleine Wassermann. „Erdäpfel heißen die Dinger?"

„Na, hör mal, du machst dir wohl einen Narren aus uns? Wer bist du denn eigentlich?"

„Ich? Na, ich bin doch der kleine Wassermann, seht ihr das nicht?"

„Ja, so was, da bist du ein Wassermann!" riefen die Jungen. „Das hättest du aber sagen müssen! Dann kannst du freilich nicht wissen, was Erdäpfel sind. Komm, wir geben dir welche zu kosten!"

Der eine Junge scharrte mit seinem Stecken auch gleich ein paar Kartoffeln aus der heißen Asche, der andere kratzte die schwarze Kruste herunter, der dritte reichte dem kleinen Wassermann eine Tüte mit Salz.

„Das mußt du dir draufstreuen", sagte er freundlich.

Der kleine Wassermann wußte nicht recht, ob er zubeißen sollte. Er schnupperte erst noch ein Weilchen an seiner Kartoffel herum. Aber weil sie gar so verlockend duftete, dachte er: Wenn das den Menschenjungen nichts schadet, wird es auch mich nicht gleich umbringen. Also, versuchen wir's...

Vorsichtig biß er hinein.

„Na, und wie schmeckt es denn?" wollten die Jungen nun wissen.

„Nach mehr!" rief der kleine Wassermann schmatzend. „Wer hätte gedacht, daß gebratene Steine so gut sind!"

Blitze aus der Schachtel

Der kleine Wassermann gefiel den drei Menschenjungen, und die drei Menschenjungen gefielen dem kleinen Wassermann. Sie schieden an diesem Abend als gute Freunde.

Von nun an kamen die Jungen fast jeden Tag an den Mühlenweiher. Sobald sie der kleine Wassermann pfeifen hörte, tauchte er auf und begrüßte sie. Manchmal saß er auch schon in den Zweigen der alten Weide und winkte ihnen von weitem zu, wenn er sie über die Wiesen daherkommen sah.

Die Jungen brachten dem kleinen Wassermann jedesmal etwas mit: Äpfel und Birnen zumeist, eine Quarkschnitte oder ein Honigbrot, hie und da eine Salzbrezel oder ein Stückchen Zucker. Und einmal bekam er von ihnen sogar einen Streifen frischgebakkenen Streuselkuchen.

Dem kleinen Wassermann schmeckte das alles vortrefflich. Er fand, daß die Menschenkost gut war, beinahe so gut wie die Wassermannskost. Und er dachte, er würde den Jungen bestimmt eine große Freude machen, wenn er sich dankbar erwiese und ihnen als Gegengeschenk ein paar auserlesene

112

Leckerbissen aus Mutters Was-
sermannsküche zu kosten gäbe.

Aber die drei hatten leider gar
keinen Appetit auf gebratene
Kröteneier mit eingesalzenen
Wasserflöhen. Selbst den gedünsteten Froschlaich, den Mutter im
Frühjahr gesammelt und eingelegt hatte, verschmähten sie.
Nicht besser erging es dem kleinen Wassermann mit den Salaten
und Algengerichten. Er mochte
den Freunden anbieten, was er
wollte, sie ließen sich nicht bewe-

gen, auch nur eine einzige Löffelspitze davon zu
versuchen.

Da gab es der kleine Wassermann endlich auf Er
brachte den Menschenjungen nun nie mehr etwas
zum Essen mit. Statt dessen beschenkte er sie mit den
schönsten Muschelschalen und Schneckenhäusern,
die er nur auftreiben konnte. Manchmal bekamen sie
auch ein paar glitzernde Steine von ihm, wie sie
sonst nur ganz selten zu finden waren.

Die Jungen freuten sich sehr über solche Ge-
schenke. Und auch der kleine Wassermann freute

113

sich, weil er doch nun etwas hatte, womit er die Freunde bedenken konnte.

Wenn sie beisammen waren, dann wurde den vieren niemals die Zeit lang. Dann ließen sie flache Kiesel über das Wasser schnellen und zählten, bei wem sie am öftesten wieder emporhupften. Oder sie spielten Versteck in den Uferbüschen. Oder sie schnitzten sich Flöten aus Schilfrohr und bliesen darauf um die Wette, bis einem von ihnen die Puste ausging.

Die Jungen machten dem kleinen Wassermann vor, wie man Kopf steht und Rad schlägt und Purzelbaum rückwärts schießt, und der kleine Wassermann machte es ihnen nach. Zur Abwechslung durften

die drei ihm dann zusehen, wenn er die hölzerne Wasserrinne hinabfuhr. Er meinte zwar, es sei gar nichts dabei, und sie sollten das auch einmal ausprobieren; aber sie sagten, das ginge nicht, weil sie leider nur Menschen wären. Und Menschen kämen gewiß nicht mit heilen Knochen über das Mühlenrad, das brächten nur Wassermannjungen zuwege, sie nicht. Im übrigen hätten sie Spaß an der Sache, auch wenn sie nur zuschauen könnten.

Nein, langweilig wurde es nie, wenn der Wassermannjunge mit seinen drei Freunden beisammen war. Aber am besten gefiel es ihm nach wie vor, mit den Buben am Feuer zu hocken, Kartoffeln zu rösten und sich den Bauch mit „gebratenen Steinen" zu füllen.

Einmal empfing er die drei mit den Worten: „Wie steht's, habt ihr Lust auf ein Erdäpfelfeuer? Für trockenes Schilf ist gesorgt, ich habe schon einen ganzen Haufen zusammengetragen. Da brauchtet ihr nur noch den Blitz aus der Schachtel zu nehmen und ihn darunterzuhalten — dann brennt es."

„Was sagst du?" fragten die Buben. „Den Blitz aus der Schachtel...?"

„Na, ja doch, den Blitz!" rief der Wassermann-junge. „Ich weiß ja, ihr habt eine kleine Schachtel mit

lauter so dünnen Hölzchen. Und wenn man ein Hölzchen herausnimmt und ritsch! macht, dann blitzt's —
und das Hölzchen fängt von dem Blitz aus der
Schachtel zu brennen an."

"Ach, da meinst du wahrscheinlich die Streichhölzer", sagten die Jungen. Und einer von ihnen griff
auch sogleich in die Hosentasche.

"Jawohl", bestätigte der kleine Wassermann, als
er einen Blick auf die Schachtel geworfen hatte, die
ihm der Junge unter die Nase hielt. "Manchmal seid
ihr wahrhaftig ein bißchen schwer von Begriff."

Der Junge wollte gerade ein Streichholz anreißen,
aber da sagte einer der beiden anderen: "Warte! Wie
wäre es, wenn du das unseren kleinen Wassermann
tun ließest? Hast du nicht Lust, einmal selber so einen
,Blitz aus der Schachtel' hervorzuzaubern?" wandte
er sich an den Wassermannjungen.

"Ach ja!" riefen nun auch die anderen Buben. "Der
kleine Wassermann soll es tun, du hast recht!"

Der kleine Wassermann ließ sich die Schachtel
geben. Dann nahm er das Streichholz und setzte es
zögernd an.

"Verbrennt man sich aber bestimmt nicht die Finger?" fragte er vorsichtshalber.

"Nein, nein", beruhigten ihn die Menschenjungen.

116

„Wenn es dir zu heiß werden sollte, dann wirfst du es einfach weg. Es kann überhaupt nichts geschehen."

Da ritzte der kleine Wassermann also das Streichholz an. Aber weil er der Sache wohl doch nicht ganz

traute und etwas zu hastig gewesen war, ging es ihm gleich wieder aus.

„Nimm ein anderes", sagten die Buben, „und laß dir ein wenig mehr Zeit dabei."

Das befolgte er.

Diesmal gelang es ihm. Stolz hielt der Wassermannjunge das brennende Hölzchen unter das Schilf.

Da schlugen die Flammen prasselnd empor, und er freute sich.

„Gut so, für einen Anfänger!" lobten ihn seine Freunde. Und der, dem die Schachtel gehörte, fügte hinzu:

„Wenn du willst, kleiner Wassermann, darfst du die Schachtel behalten. Ich schenke sie dir."

„Und die Hölzchen auch?"

„Ja natürlich, die Hölzchen auch", sprach der Junge. „Wie wolltest du sonst einen ‚Blitz' aus der Schachtel hervorbringen?"

Da fehlte nicht viel, und der kleine Wassermann wäre dem Jungen vor Glück um den Hals gefallen. Jubelnd warf er die Streichholzschachtel hoch in die Luft, fing sie auf, warf sie wieder empor. Zwischendurch patschte er voller Begeisterung in die Hände.

Dann, plötzlich, schob er die Schachtel in seine Rocktasche, machte kehrt und rannte dem Weiher zu.

„Holla, was hast du denn?" riefen die Jungen verdutzt.

Aber der kleine Wassermann hörte sie nicht mehr. Er war schon, mitsamt seiner Schachtel, kopfüber ins Wasser gesprungen.

Hokuspokus

Während die Menschenjungen am Ufer saßen,
Kartoffeln ins Feuer warfen und sich vergebens die
Köpfe darüber zerbrachen, was denn um Himmels
willen auf einmal in ihren kleinen Wassermann hin-
eingefahren war, schwamm der Wassermannjunge
tief unten im Mühlenweiher herum und suchte den
Karpfen Cyprinus.

Cyprinus war nämlich in letzter Zeit immer ziemlich verdrossen gewesen. Er nahm es dem kleinen
Wassermann übel, daß er so oft mit den Menschenjungen beisammen war. „Geh mir weg mit den Menschen!" hatte Cyprinus ihn kürzlich erst wieder an-
geraunzt. „Entweder sie kommen zum Baden und
wirbeln den Schlamm auf, daß unsereins kaum noch
nach Hause findet — oder sie hängen uns diese ver-
flixten Dinger, die Angeln, ins Wasser und warten
darauf, daß man anbeißt und daß sie uns auffressen
können; mit Butter und Zwiebelringen, wie ich gehört habe. Nein, geh mir weg mit den Menschen, ein
Wassermann darf sich mit denen auf keinen Fall einlassen! Ich begreife nicht, wie du dich so weit vergessen kannst! Nein, das begreife ich nicht."

Der gute Cyprinus wird staunen, wenn ich ihm zeigen werde, was mir die Menschenjungen geschenkt
haben! dachte der kleine Wassermann. Und er malte
sich aus, wie der Karpfen die Blitze aus seiner
Schachtel bewundern würde. Da konnte er einmal
sehen, daß es für einen Wassermann gar nicht so
dumm war, drei Menschen als Freunde zu haben.

Nach langem Umhersuchen fand er den Alten. Er
grüßte und zog seine Schachtel hervor.

„Rate mal, was ich hier drin habe", sagte er.

„Hm", sprach Cyprinus. „Wie kann ich denn wissen, was du in dieser Schachtel hast. Würmer vielleicht? Oder Brotkrümel?"

„Blitze", sagte der kleine Wassermann.

„Blitze? In solch einer winzigen Schachtel?" Cyprinus besah sich den kleinen Wassermann kopfschüttelnd. „Machst du dich über mich lustig?"

„Durchaus nicht", sagte der kleine Wassermann. „Es sind wirklich Blitze in dieser Schachtel, ich werde dir gleich beweisen, daß ich die Wahrheit gesprochen habe."

Cyprinus sah mißtrauisch zu, wie der Wassermannjunge ein Streichholz herausnahm. Ihm war die Geschichte nicht ganz geheuer. Er zog sich für alle Fälle ein Stückchen zurück.

„Nun sage ich Hokuspokus", erklärte der Wassermannjunge mit ernstem Gesicht. „Und dann wirst du ja sehen, was weiter geschieht. Also aufgepaßt! — Hokus... pokus..."

Er ritzte bei „pokus" das Streichholz an. Zu seinem Ärger wollte es diesmal nicht klappen. Es gab keinen Blitz und noch weniger eine Flamme.

„Na, wenn das alles war", meinte Cyprinus und kam wieder näher herangeschwommen, „dann muß ich dir sagen, daß du mich ziemlich enttäuscht hast."

121

„Beim erstenmal geht es mir immer daneben", sagte der kleine Wassermann seelenruhig. „Aber beim zweitenmal nicht mehr, du kannst dich darauf verlassen."

Er hatte sich und dem Karpfen Cyprinus zu viel versprochen. Die Streichhölzer brannten nicht an, auch das zweite und dritte und vierte nicht.

„Wenn du das Blitze nennst", sagte Cyprinus geringschätzig, „bin ich ein Laubfrosch! He-he, so ein Unsinn! Da mußt du dir schon einen Dümmeren suchen als mich!" Und er blubberte spöttisch die Luft aus.

„Das kann ich mir gar nicht erklären... Wie kommt das nur, daß es mir nicht mehr gelingt?" überlegte der kleine Wassermann niedergeschlagen. Und er erzählte dem Karpfen, wie gut er es vorhin gekonnt hatte, draußen an Land, bei den Menschenjungen.

„Ja so, von den Menschen hast du die Schachtel bekommen", sagte Cyprinus. „Dann wundert mich nichts mehr. Sie haben dich damit angeschmiert, das ist alles. Ich habe dir hundert- und tausendmal zugeredet, du sollst dich vor ihnen in acht nehmen. Aber du willst ja nicht hören! Da machst du dich lieber lächerlich! Wenn ich jetzt du wäre, wüßte ich, was ich täte!"

„Was tätest du?" fragte der Wassermannjunge.

„Ich würde hinaufschwimmen", sagte Cyprinus, „und würde ihnen die Schachtel da vor die Füße pfeffern. Jawohl! Und dann würde ich sagen: ‚Rutscht mir den Buckel hinunter!'"

„Das werde ich nicht sagen", meinte der kleine Wassermann, „sondern ich werde ganz ruhig mit ihnen sprechen. Ich kann mir beim besten Willen nicht denken, daß sie mich anschmieren wollten."

„Dich anschmieren?" sagten die Menschenjungen, als ihnen der kleine Wassermann über sein Mißgeschick haarklein berichtet hatte. „Nein, anschmieren wollte dich niemand, das darfst du uns glauben. Aber du kannst nicht verlangen, daß Streichhölzer, die du ins Wasser nimmst, anbrennen. Weißt du, das Wasser verdirbt sie, das läßt sich nun einmal nicht ändern."

„Dann kann ich den Rest also wegwerfen?" fragte der Wassermannjunge.

„Ja, wirf sie ins Feuer! Wir bringen dir morgen dafür wieder neue."

„Ich wußte ja, daß euch Cyprinus nur schlechtmachen wollte", sagte der kleine Wassermann. „Aber er kennt euch ja nicht." Und er streute die Streichhölzer einzeln ins Feuer.

Als er dann auch noch die Schachtel hineinwerfen wollte, hielt ihn der älteste Junge zurück.

„Nein, die mußt du dir aufheben!" sagte er. „Weißt du, mir ist ein Gedanke gekommen. Wir füllen die leere Schachtel mit Regenwürmern. Die trägst du in unserem Namen dem Karpfen Cyprinus hinunter und schenkst sie ihm. Es ist möglich, daß er dann nicht mehr so schlecht von uns denken wird wie bisher."

Gute Nacht, kleiner Wassermann!

Die Tage vergingen, das Jahr wurde älter und älter. Schon waren die Bäume entblättert, es regnete oft, immer seltener kamen die Freunde zum Mühlenweiher. Und wenn sie es doch einmal wagten, so trugen sie lange Strümpfe und Wettermäntel. Der kleine Wassermann wartete häufig vergebens auf sie.

Eines Morgens schien oben nach langer Zeit wieder die Sonne. Das merkte der kleine Wassermann, als er zum Fenster hinaussah. Das Wasser war hell und klar wie seit Tagen nicht mehr. Da dachte der Junge: Heut kommen sie ganz bestimmt! Und er freute sich sehr auf das Wiedersehen mit ihnen.

Er konnte nicht wissen, was über Nacht mit dem Mühlenweiher geschehen war. Ahnungslos zog er sich an, aß sein Frühstück und machte sich auf, um ans Ufer zu schwimmen. Er wollte sich dort, wie es seine Gewohnheit war, in die Zweige der alten Weide setzen und Ausschau halten. Wenn er die Freunde dann kommen sah, wollte er winken.

Er dachte sich gar nichts Besonderes, als er emportauchte. Aber da stieß er auf einmal mit seiner Nase an etwas sehr Hartes und Kaltes. Es war ihm nicht möglich, den Kopf aus dem Wasser zu stecken.

Das ist aber sonderbar! sagte er sich. Ich stoße an etwas an, das ich spüren kann, aber nicht sehe. Was mag das nur sein? Ob ich anderswo durchkomme? Auftauchen muß ich auf alle Fälle, das wäre ja noch schöner!

Aber sooft es der Wassermannjunge versuchte, es ging nicht. Der ganze Weiher war wie mit Glas überzogen. Da mußte der kleine Wassermann einsehen, daß er nichts ausrichten konnte. Nachdenklich schwamm er nach Hause.

,,So, so'', sprach der Wassermannvater, als ihm der Junge von seiner Entdeckung berichtet hatte. ,,Dann wären wir also schon wieder so weit. Es wird Winter, der Weiher ist zugefroren. Nun heißt es ins Bett

gehen, ja, und die Decke über die Ohren ziehen —
und schlafen."

„Aber wir sind doch gerade erst aufgestanden",
sagte der Wassermannjunge.

„Das ändert nichts", sagte der Vater. „Die Zeit ist
nun einmal gekommen, da muß sich ein Wassermann

fügen. Im Winter verpaßt man ja sowieso nichts. Und wenn es dann Frühling wird, weckt uns die Sonne schon rechtzeitig wieder auf."

„Weißt du das sicher?" fragte der kleine Wassermann.

„Ja", sprach der Vater, „das weiß ich. Ich weiß das so sicher, wie du mein Junge bist. Komm, und nun legst du dich nieder, die Mutter hat schon die Betten gerichtet."

Der kleine Wassermann folgte und ging in die Schlafstube. Weil er auf einmal sehr müde war, half ihm die Mutter beim Ausziehen. Als er dann glücklich im Bett lag, gab ihm der Vater noch einmal die Hand und nickte ihm freundlich zu.

„Bis zum Frühjahr!" sagte der Wassermannvater.

„Ja, bis zum Frühjahr...", sprach ihm der kleine Wassermann nach. „Bis... zum... Früh...jahr..."

Er dachte an seine Freunde, er dachte an alles, was er bis heute erlebt hatte. Wie er zum erstenmal mit dem Vater quer durch den Weiher geschwommen war, wie sie im Schlingpflanzendickicht Verstecken gespielt hatten, wie er danach auf dem Rücken des Karpfens Cyprinus zurückreiten durfte. Die Fahrt mit dem hölzernen Kasten — die Rutschpartie übers Mühlenrad — und die silberne Mondnacht am Ufer...

Sehr schön war das alles gewesen, so schön, daß
sich gut und gern einen Winter lang davon träumen
ließ.

„Gute Nacht, kleiner Wassermann!" hörte er je-
manden sagen.

Die Stimme schien weit aus der Ferne zu kommen.
Wer war das nur, der da gesprochen hatte? Es war
eine gute Stimme, er kannte sie.

„Gute Nacht, kleiner Wassermann!" sagte die
Stimme noch einmal. — Da wußte der kleine
Wassermann, daß es die Stimme der Mutter gewesen
war. Und er freute sich, daß er die Mutter noch einmal gehört hatte, ehe er vollends hinüberschlief — in
den traumhellen Wassermannswinter.